Reckless

Kamienne ciało

CORNELIA FUNKE

Reckless

TOM I

Kamienne ciało

Przekład
Krystyna Żuchowicz

Na podstawie historii autorstwa
Cornelii Funke i Lionela Wigrama

EGMONT

Tytuł oryginału: *Reckless. Steinernes Fleisch*

© 2010 by Cornelia Funke und Lionel Wigram
Illustrations © 2010 by Cornelia Funke
Cover © by Emile Facey

© for the Polish edition by Egmont Polska Sp. z o.o.,
Warszawa 2012

Redakcja: Anna Jutta-Walenko
Korekta: Agnieszka Trzeszkowska, Agnieszka Sprycha
Adaptacja okładki: Marta Gierych
Koordynacja produkcji: Jolanta Powierża
Wydawca prowadzący: Agnieszka Betlejewska

Wydanie pierwsze, Warszawa 2012
Wydawnictwo Egmont Polska Sp. z o.o.
ul. Dzielna 60, 01-029 Warszawa
tel. 22 838 41 00
www.egmont.pl/ksiazki

ISBN 978-83-237-3566-3

Skład i łamanie: Katka, Warszawa
Druk: COLONEL, Kraków

Dziękuję Lionelowi, który pod niejednym względem
znał tę opowieść lepiej niż ja i odnalazł do niej furtkę,
przyjacielowi i pomysłodawcy,
niezastąpionemu po obu stronach lustra.

A także Oliverowi, który tę historię
przetłumaczył na angielski.

I

BYŁ SOBIE RAZ CHŁOPIEC

Było już bardzo późno. Mieszkanie wypełniał mrok. Tykał zegar. Drewniane deski zatrzeszczały, gdy Jakub wysuwał się z pokoju, zatapiając się w ciszy. Kochał noc. Ciemność otulała go płaszczem z materii, której na imię było wolność i niebezpieczeństwo.

Gwiazdy zbladły, przyćmione jaskrawymi światłami miasta. W dużym mieszkaniu powietrze było ciężkie od smutku jego matki. Nie obudziła się, gdy Jakub wśliznął się do jej pokoju i uchylił szufladę nocnej szafki. Klucz leżał obok pigułek, dzięki którym mogła spać. Gdy ponownie znalazł się w ciemnym korytarzu, w dłoni czuł lekki chłód metalu.

W sypialni brata jak zwykle paliło się światło. Will bał się ciemności. Jakub upewnił się, że brat mocno śpi, zanim otworzył drzwi do gabinetu ojca. Odkąd ojciec zniknął, mama nigdy nie przestąpiła progu tego pokoju, ale Jakub zakradał się tu wielokrotnie, szukając odpowiedzi, których ona nie chciała mu udzielić.

Wszystko wyglądało tak, jakby Jan Reckless zaledwie godzinę temu, a nie przed rokiem, po raz ostatni siedział przy biurku. Na oparciu krzesła wisiał jego ulubiony wełniany sweter. Zużyta torebka herbaty leżała zeschnięta na talerzyku, obok zeszłorocznego kalendarza.

„Wróć!", napisał Jakub palcem na brudnej szybie okiennej, na zakurzonym blacie biurka i na szybkach oszklonej szafki, w której nadal znajdowały się zbierane przez ojca stare pistolety. W pokoju było cicho i pusto.

Jakub miał dwanaście lat, od roku nie miał ojca. Kopnął szuflady, które przez tyle nocy daremnie przeszukiwał. Z niemą wściekłością wyrzucał z półek książki i czasopisma, zrywał ze ściany nad biurkiem modele samolotów. Teraz wstydził się dumy, którą poczuł, gdy pewnego dnia ojciec pozwolił mu jeden z nich pomalować na czerwono.

„Wróć!", chciał krzyknąć w dół, siedem pięter niżej, gdzie między kwartałami domów ulice tworzyły świetliste przesmyki. I ku tysiącom jasnych kwadratów okien.

Z książki o silnikach lotniczych wypadła kartka. Jakub podniósł ją, sądząc, że widzi na niej odręczne pismo ojca. Pomylił się jednak. Symbole i równania, szkic pawia, słońce, dwa księżyce. Nie dostrzegł w tym żadnego sensu. Do chwili gdy przeczytał zdanie na odwrocie:

LUSTRO OTWIERA SIĘ TYLKO DLA KOGOŚ, KTO SAM SIEBIE NIE WIDZI.

Jakub odwrócił się i zobaczył swoje odbicie.

Lustro. Dobrze pamiętał ten dzień, w którym ojciec je powiesił. Tkwiło między regałami na książki jak błyszczące oko. Szklana otchłań, w której w zniekształceniu odbijało się wszystko, co Jan Reckless po sobie pozostawił: biurko, stare pistolety, książki. I jego starszy syn.

Szkło było nierówne i ciemniejsze niż w zwykłych lustrach. Trudno było w nim rozpoznać własne odbicie. Jednak srebrne gałązki róż zdobiące ramę wyglądały tak prawdziwie, jakby za chwilę mogły zwiędnąć.

LUSTRO OTWIERA SIĘ TYLKO DLA KOGOŚ, KTO SAM SIEBIE NIE WIDZI.

Jakub zamknął oczy.

Stanął plecami do lustra.

Potem dłonią próbował wyczuć z tyłu jakiś zamek czy zasuwkę.

Nic.

Po chwili spoglądał w oczy własnemu odbiciu.

Wreszcie zrozumiał.

Ledwie udało mu się zakryć dłonią zniekształcone odbicie swojej twarzy, a szkło szybko przylgnęło mu do ręki, jakby tylko na to czekało. Nagle pokój, którego odbicie widział za sobą w lustrze, zniknął.

Jakub się odwrócił.

Przez dwa wąskie okna padało na szare mury światło księżyca. Bosymi stopami stał na gołych deskach. Leżały na nich rozsypane łupiny żołędzi i ogryzione ptasie kostki. Pomieszczenie było większe od pokoju ojca. Z belek stropu zwieszały się, niczym welony, pajęcze sieci.

Gdzie był? Gdy podszedł do jednego z okien, w świetle księżyca jego skóra pokryła się plamami cieni. Do szorstkiego gzymsu przykleiły się zakrwawione ptasie pióra. Daleko w dole dostrzegł spalone mury, a dalej czarne wzgórza, na których lśniły pojedyncze światełka. Czuł się jak we śnie. Morze domów i oświetlone ulice zniknęły. Podobnie jak wszystko, co znał. Na niebie, wśród gwiazd, unosiły się dwa księżyce, z których mniejszy był rudy jak zardzewiała moneta.

Jakub obejrzał się i spojrzał w lustro. W swoich oczach dostrzegł lęk. Od dawna jednak lubił to uczucie. Wabiły go mroczne miejsca i przekraczanie zakazanych drzwi, byle znaleźć się daleko od siebie. To tłumiło tęsknotę za ojcem.

W szarych murach nie było drzwi, zobaczył jedynie właz w podłodze. Gdy uniósł pokrywę, ujrzał niknące w ciemności resztki spalonych schodów. Przez chwilę miał wrażenie, że widzi małego człowieczka wspinającego się po kamiennych stopniach. Nagle usłyszał szmer i gwałtownie się odwrócił.

Opadły na niego pajęcze sieci i coś, ochryple skrzecząc, skoczyło mu na kark. Wydawało się, że to głos zwierzęcia, lecz wykrzywiona twarz z wyszczerzonymi zębami próbującymi chwycić go za gardło miała skórę bladą i pomarszczoną jak u starca. Napastnik był o wiele mniejszy od Jakuba i cienki jak konik polny. I jakby cały pokryty pajęczą siecią. Siwe włosy sięgały mu do bioder. Gdy Jakub chwycił go za cienką szyję, stwór wbił mu głęboko w dłoń żółte zęby. Chłopak z krzykiem zrzucił go z pleców i chwiejnym krokiem ruszył do lustra. Człowiek-pająk podniósł się i skoczył za Jakubem, zlizując z warg jego krew. Zanim się jednak zbliżył, Jakub sprawną ręką zdążył przykryć odbicie swojej wystraszonej twarzy. Chuda postać zniknęła, a wraz z nią szare mury. Chłopiec ujrzał za sobą biurko ojca.

– Jakub?

Serce waliło mu tak mocno, że z trudem usłyszał głos brata. Próbując złapać oddech, szybko odsunął się od lustra.

– Jakub, jesteś tu?

Jakub zakrył rękawem ranę na ręku i otworzył drzwi.

Will miał oczy okrągłe ze strachu. Znowu przyśniło mu się coś złego. Młodszy brat chodził za Jakubem jak psiak, a on stale go pilnował, na szkolnym podwórku i w parku. Czasem nawet mu wybaczał, że mama bardziej go kochała.

– Mama mówiła, żebyśmy nie wchodzili do tego pokoju.

– Od kiedy to słucham mamy? Jeżeli mnie wydasz, nigdy więcej nie zabiorę cię na spacer.

11

Jakubowi wydawało się, że na karku nadal czuje, jak okład z lodu, zimne szkło lustra. Will próbował zajrzeć do pokoju, ale spuścił głowę, gdy brat zamykał drzwi. Ilekroć Jakub okazywał lekkomyślność, Will był ostrożny; gdy brat wybuchał, on był łagodny; a gdy tamten nie mógł usiedzieć w miejscu, Will zachowywał spokój. Jakub wziął brata za rękę, a wtedy Will zobaczył krew na jego palcach. Spojrzał na niego pytająco, lecz Jakub bez słowa poprowadził go z powrotem do sypialni.

To, co pokazało mu lustro, należało do niego. Tylko do niego.

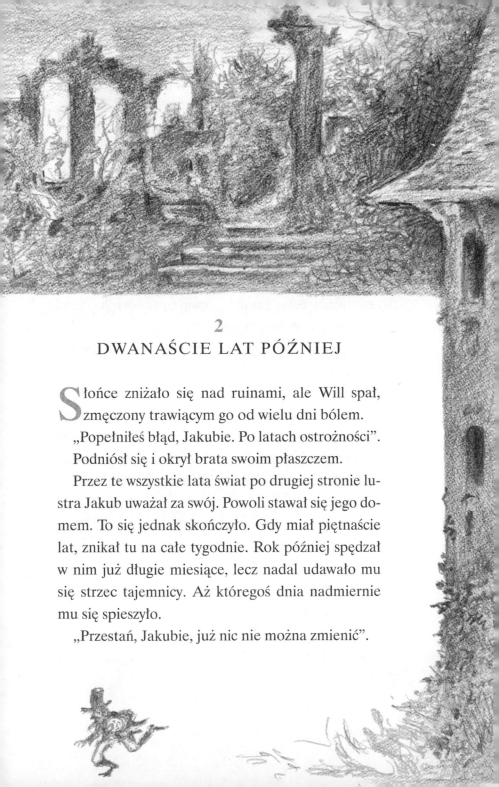

2
DWANAŚCIE LAT PÓŹNIEJ

Słońce zniżało się nad ruinami, ale Will spał, zmęczony trawiącym go od wielu dni bólem.

„Popełniłeś błąd, Jakubie. Po latach ostrożności".

Podniósł się i okrył brata swoim płaszczem.

Przez te wszystkie lata świat po drugiej stronie lustra Jakub uważał za swój. Powoli stawał się jego domem. To się jednak skończyło. Gdy miał piętnaście lat, znikał tu na całe tygodnie. Rok później spędzał w nim już długie miesiące, lecz nadal udawało mu się strzec tajemnicy. Aż któregoś dnia nadmiernie mu się spieszyło.

„Przestań, Jakubie, już nic nie można zmienić".

Rany na szyi brata wygoiły się, ale na przedramieniu lewej ręki już pojawił się kamień. Bladozielone żyłki ciągnęły się w stronę dłoni. Lśniły jak wypolerowany marmur.

„Wystarczył jeden błąd".

Jakub oparł się o pokrytą sadzą kolumnę i spoglądał w górę na wieżę, w której stało lustro. Nigdy nie przeszedł na drugą stronę, nie upewniwszy się, że Will i mama już śpią. Po jej śmierci pozostał jednak kolejny pusty pokój i Jakub nie mógł się doczekać, kiedy znowu przyłoży dłoń do ciemnego szkła i ucieknie. Daleko.

„Byłeś niecierpliwy, Jakubie. Spójrz prawdzie w oczy. To jedna z twoich głównych cech".

Ciągle widział twarz Willa, jak wynurza się za nim w lustrze, zniekształcona przez ciemne szkło.

„Dokąd idziesz, Jakubie?".

Nocny lot do Bostonu, wycieczka do Europy – przez te wszystkie lata wymyślił wiele kłamstw. Był w tym również pomysłowy jak ojciec. Tym razem jednak już przyłożył dłoń do chłodnego szkła – a Will, rzecz jasna, po chwili zrobił to samo.

Młodszy brat.

– On już pachnie jak oni.

Lisica wynurzyła się z cienia pod ruinami murów. Sierść miała rudą jak barwy jesieni. Na jej tylnej łapie widać było bliznę, ślad po sidłach. Pięć lat minęło od chwili, gdy Jakub uwolnił ją z pułapki, i od tego czasu Lisica nie odstępowała go na krok. Czuwała, gdy spał, ostrzegała przed

14

niebezpieczeństwami, których jego przytępione ludzkie zmysły nie wyczuwały, i udzielała zbawiennych rad.

„Jeden błąd".

Jakub przeszedł przez bramę. Na powyginanych zawiasach nadal wisiały zwęglone resztki skrzydeł zamkowego portalu. Z popękanych stopni skrzat zbierał żołędzie. Gdy tylko padł na niego cień Jakuba, natychmiast czmychnął. W ruinach roiło się od skrzatów. Miały spiczaste nosy i czerwone oczy, nosiły spodenki i koszule, uszyte ze skradzionych ludzkich ubrań.

– Odeślij go do domu! Czy po to przyszliśmy?

W głosie Lisicy wyczuwało się zniecierpliwienie.

Jakub pokręcił głową.

– Popełniłem błąd, przyprowadzając go tutaj. Po tamtej stronie lustra nic nie może mu pomóc.

Jakub opowiadał Lisicy o świecie, z którego przybył. Ona jednak nie do końca chciała słuchać. Wystarczyło jej to, co już wiedziała: że nazbyt często tam znikał i wracał ze wspomnieniami, które ciągnęły się za nim jak cień.

– Jak myślisz, co tutaj się z nim stanie? – spytał.

Lisica milczała, lecz Jakub odczytał jej myśli. W tutejszym świecie mężczyźni zabijali nawet własnych synów, jeżeli dostrzegli w ich ciele ślady kamienia.

Spojrzał w dół na czerwone dachy pogrążające się w mroku u stóp zamkowego wzgórza. W Szwansztajnie zapalono pierwsze światła. Z daleka miasto wyglądało jak jeden z obrazków na puszkach z piernikami. Od kilku lat przez wzgórza za miastem przebiegały jednak tory kolejowe, a z fabrycznych kominów wznosił się ku wieczornemu niebu szary dym. Świat po drugiej stronie lustra chciał stać się dorosły. Ale kamienia rozrastającego się w ciele jego brata nie wytworzyło tkackie krosno ani inny techniczny wynalazek. Wywołało go złe zaklęcie kogoś żyjącego wśród tutejszych wzgórz i lasów.

Na popękanej posadzce usiadł złoty kruk. Jakub odpędził go, zanim ten zdążył wykrakać mu jedno ze swoich ponurych przekleństw.

Will cicho jęknął we śnie. Ludzka skóra stawiała opór tkance z kamienia. Jakub odczuwał ból brata jak własny. Wyłącznie z miłości do Willa stale wracał do swojego świata, choć z roku na rok robił to coraz rzadziej. Mama płakała i wygrażała mu, nie mając pojęcia, gdzie znikał. Tymczasem Will zarzucał bratu ręce na szyję i pytał, co mu przywiózł. Buty karła, czapeczka na palec, opalowy guzik, kawałek pokrytej łuskami skóry wodnika – prezenty od Jakuba Will chował pod łóżkiem. Wszystko, co brat mu opowiadał, traktował jak baśnie, które tamten wymyślał specjalnie dla niego.

Nie wiedział tylko, że wszystko w nich było prawdą.

Jakub nasunął płaszcz na zmieniającą się rękę brata. Na niebie weszły już dwa księżyce.

– Pilnuj go, Lisico. – Wstał. – Niedługo wrócę.

– Dokąd się wybierasz, Jakubie?! – Lisica jednym susem zagrodziła mu drogę. – Jemu już nikt nie może pomóc!

– Zobaczymy. – Odsunął ją. – Pilnuj, żeby nie wszedł na wieżę.

Odprowadzała go wzrokiem, gdy szedł w dół po schodach. Jedyne ślady butów na omszałych stopniach należały do niego. Nikt tu nie przychodził. Ruiny uważano za przeklęte i Jakub wysłuchał już dziesiątek opowieści o zagładzie zamku. Nadal jednak nie wiedział, kto w wieży pozostawił lustro. Nie udało mu się też dowiedzieć, gdzie zniknął jego ojciec.

Za kołnierz wskoczył mu maleńki człowieczek. Jakubowi udało się go złapać, zanim zerwał mu z szyi medalion. W innych okolicznościach od razu poszedłby za malutkim złodziejem. Takie skrzaty gromadzą ogromne skarby w dziuplach drzew, które zamieszkują. Stracił już jednak za dużo czasu.

„Jeden błąd, Jakubie".

Naprawi go. Jednak gdy schodził po stromym zboczu, w uszach wciąż brzmiały mu słowa Lisicy.

„Jemu już nikt nie może pomóc".

Jeżeli miała rację, wkrótce nie będzie miał brata. Ani tutaj, ani po tamtej stronie lustra.

„Jeden błąd".

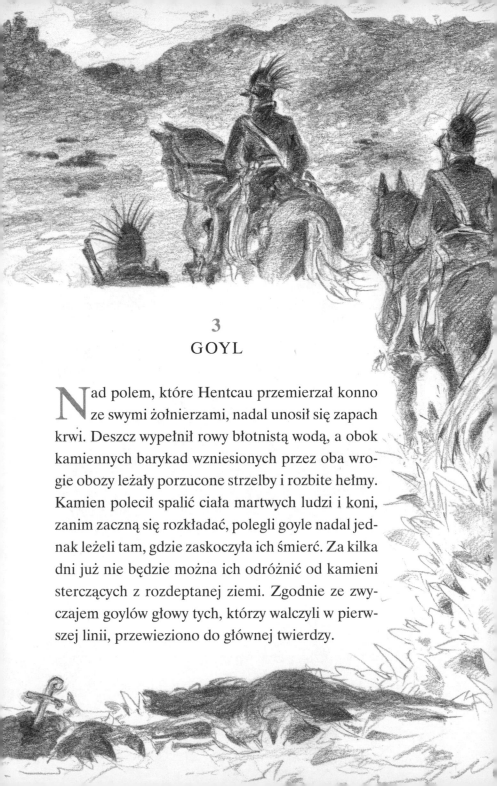

3
GOYL

Nad polem, które Hentcau przemierzał konno ze swymi żołnierzami, nadal unosił się zapach krwi. Deszcz wypełnił rowy błotnistą wodą, a obok kamiennych barykad wzniesionych przez oba wrogie obozy leżały porzucone strzelby i rozbite hełmy. Kamien polecił spalić ciała martwych ludzi i koni, zanim zaczną się rozkładać, polegli goyle nadal jednak leżeli tam, gdzie zaskoczyła ich śmierć. Za kilka dni już nie będzie można ich odróżnić od kamieni sterczących z rozdeptanej ziemi. Zgodnie ze zwyczajem goylów głowy tych, którzy walczyli w pierwszej linii, przewieziono do głównej twierdzy.

Jeszcze jedna bitwa. Hentcau bolał nad tym, że do niej doszło. Żywił jednak nadzieję, że kolejna prędko nie nastąpi. Cesarzowa wreszcie gotowa była podjąć rokowania i nawet Kamien chciał pokoju. Hentcau osłonił twarz dłonią, gdy wiatr zaczął zdmuchiwać popiół ze wzniesienia, na którym spalono zwłoki. Już sześć lat przebywał na powierzchni ziemi, pozbawiony skał chroniących go przed słońcem. Oczy bolały go od dziennego światła i z każdym dniem coraz bardziej marzł. Jego skóra stawała się od tego porowata jak wapienna skała. Hentcau miał ciało z brązowego jaspisu, niezbyt szlachetnego kamienia. Był pierwszym jaspisowym goylem, który osiągnął tak wysoki stopień wojskowy. Zanim pojawił się Kamien, goyle nigdy nie mieli króla. Hentcauowi podobało się własne ciało. Jaspis pozwalał się lepiej maskować niż onyks czy opalizujący chalcedon.

Kamien stanął na kwaterze niedaleko pola bitwy, w zameczku myśliwskim jednego z cesarskich generałów, który poległ jak większość oficerów. Gdy Hentcau zbliżył się do rozbitej bramy, stojący przed nią strażnicy zasalutowali. Nazywano go krwiożerczym psem króla, jego jaspisowym cieniem. Hentcau pełnił służbę u Kamiena od czasu, gdy wspólnie pozbywali się konkurentów. Zabicie wszystkich zajęło im dwa lata. Potem goyle po raz pierwszy otrzymali króla.

Po obu stronach drogi prowadzącej z bramy do zamku stały posągi z białego marmuru. Mijając je, Hentcau po raz kolejny z rozbawieniem pomyślał, że ludzie uwieczniali swoich bogów i bohaterów w kamieniu, za to żywe postacie z kamienia budziły ich wstręt. Ludzie sami to przyznawali, choć był to taki sam kamień.

Okna zamku zostały zamurowane. Goyle zwykle robili tak po zajęciu jakiejś budowli wroga. Dopiero jednak na schodach prowadzących w dół, do spiżarni, Hentcaua otoczyła zbawienna ciemność. Piwnicę, w której zamiast zapasów i zakurzonych myśliwskich trofeów znajdował się sztab generalny króla goylów, oświetlało zaledwie kilka gazowych lamp.

Kamien. To imię istotnie oznaczało kamień. Jego ojciec dowodził jednym z najgłębiej położonych miast, ale ojcowie mało się tam liczyli. Goylów wychowywały matki. Gdy syn kończył dziewięć lat, stawał się dorosły i od tej pory był zdany na siebie. Większość wyruszała niżej, do podziemnego świata, na poszukiwanie nieodkrytych pieczar. Schodzili tak daleko w głąb, że nawet kamienna powłoka nie mogła uchronić ich ciał przed spiekotą. Kamiena jednak interesował zawsze tylko Górny Świat. Długo mieszkał w jednym z miast wybudowanych w jaskini na powierzchni, ponieważ pod ziemią zrobiło się zbyt ciasno. Tam dwukrotnie przeżył napaść ze strony ludzi. Potem zaczął poznawać ich broń i strategię działań wojennych. Zakradał się do ich miast i obozów wojskowych. W wieku dziewiętnastu lat zdobył pierwsze ludzkie miasto.

Gdy jeden z przybocznych gwardzistów skinieniem dał znak, by Hentcau wszedł, Kamien stał przed mapą, na której zaznaczono zdobyte obszary i pozycje wroga. Figurki oznaczające własne oddziały kazał wykonać po pierwszej wygranej bitwie. Żołnierze, kanonierzy, strzelcy wyborowi, postacie kawalerzystów. Goylów zrobiono z karneolu, cesarskich ze srebra, Lotaryngia miała barwę żółtą, armie na wschodzie – miedzianą, a oddziały Albionu maszerowały w strojach z kości słoniowej. Kamien patrzył na nie z góry, jakby szukał sposobu na pokonanie ich wszystkich jednocześnie. Miał na sobie czarny strój, jak zawsze, gdy zdejmował mundur. Jego czerwona skóra bardziej niż zwykle wydawała się płonąć. Nigdy wcześniej karneol nie symbolizował barw wodza. U goylów książęcą barwą był onyks.

Ukochana Kamiena jak zwykle miała na sobie zielone szaty. Warstwy szmaragdowego aksamitu otulały ją jak płatki kwiatu. Nawet najpiękniejsza goylka bladła przy niej jak żwir przy oszlifowanym chalcedonie. Hentcau zabraniał jednak swoim żołnierzom na nią spoglądać. Nie bez powodu mnożyły się opowieści o nimfach, które jednym spojrzeniem zamieniały mężczyzn w osty lub żałośnie rzucające się na piasku ryby. Jej uroda była niczym jad pająka. Ona i jej siostry wynurzyły się z wody i Hentcau bał się jej tak samo jak morza niszczącego skały na całym świecie.

Gdy wszedł, nimfa na krótko tylko podniosła wzrok. Czarna Nimfa. Nawet siostry się jej wyrzekły. Mówiono, że potrafi czytać w myślach, ale Hentcau w to nie wierzył. Już dawno musiałaby go za nie zabić.

Odwrócił się do niej plecami i skłonił głowę przed królem.

– Kazaliście mnie wezwać, panie.

Kamien sięgnął po jedną ze srebrnych figurek, ważąc ją w dłoni.

– Musisz kogoś odnaleźć. Człowieka, któremu rośnie kamienne ciało.

Hentcau rzucił nimfie szybkie spojrzenie.

– Gdzie mam szukać? – spytał. – Są ich już tysiące.

Ludzie-goyle. Dawniej Hentcau swoimi szponami zabijał, teraz za sprawą zaklęcia nimfy ciało człowieka zranione nimi powoli zamieniało się w kamień. Jak wszystkie nimfy nie mogła mieć dzieci, w ten sposób więc dawała Kamienowi synów. Każde uderzenie szponami przez któregoś z żołnierzy Hentcaua czyniło z wroga goyla. Nie było bardziej bezlitosnego wojownika niż człowiek-goyl w starciu ze swoją wcześniejszą postacią. Hentcau jednak czuł do nich wstręt, taki sam jak do nimfy, z której zaklęcia powstawali.

Kamien uśmiechnął się ukradkiem. Nie. Nimfa nie potrafiła czytać myśli Hentcaua. Za to jego króla – owszem.

– Bez obaw. Ten, którego masz znaleźć, różni się od pozostałych. – Kamien odstawił na mapę srebrną figurkę. – Jego ciało zamienia się w nefryt.

Strażnicy wymienili szybkie spojrzenia, ale Hentcau tylko wykrzywił usta z niedowierzaniem. Ludzie gotujący lawę, krew ziemi, wszystko widzący bezoki ptak i goyl z ciałem z nefrytu, dzięki któremu jego król stawał się niepokonany... To tylko bajki, które miały wypełnić obrazami panujące pod ziemią ciemności.

– Który zwiadowca powiedział ci o tym, panie? – Hentcau dotknął obolałej skóry. Wkrótce z zimna stanie się bardziej popękana niż rozbite szkło. – Każ go rozstrzelać. Goyl z nefrytu to bajki. Od kiedy mylisz je, panie, z rzeczywistością?

Strażnicy nerwowo spuścili oczy. Za takie słowa każdy inny goyl zapłaciłby głową, ale Kamien tylko wzruszył ramionami.

– Znajdź go – powiedział. – Śniła o nim.

Ona. Nimfa pogładziła aksamit sukni. Miała sześć palców u rąk. Każdy rzucał inny czar. Hentcau czuł wzbierający w nim gniew. Gniew, który w ich kamiennym ciele tkwił jak rozpalona lawa w łonie ziemi. Umarłby za swojego króla, gdyby było trzeba, ale czym innym jest pogoń za sennymi widziadłami jego kochanki.

– Żeby stać się niepokonanym, wasza wysokość nie potrzebuje nefrytowego goyla!

Kamien przyglądał mu się jak komuś obcemu.

Wasza wysokość. Hentcau coraz częściej łapał się na tym, że lękał się mówić mu po imieniu.

– Znajdź go – powtórzył Kamien. – Ona twierdzi, że to ważne, a do tej pory zawsze miała rację.

Nimfa stanęła u jego boku, a Hentcau wyobraził sobie, jak chwyta ją za bladą szyję. Nawet to nie przyniosło mu jednak pociechy. Była nieśmiertelna i kiedyś będzie patrzyła na jego śmierć. Jego i Kamiena. I jego dzieci, i dzieci jego dzieci. Wszyscy byli jej zabawką, śmiertelną zabawką z kamienia. Jednak Kamien ją kochał, bardziej niż obie żony, które dały mu trzy córki i syna.

„Ponieważ rzuciła na niego czar!" – szeptało coś Hentcauowi.

Skłonił głowę i przycisnął rękę do serca.

– Jak każesz, panie.

– Widziałam go w Czarnym Lesie. – W jej głosie słychać było szmer wody.

– Las ciągnie się na sto kilometrów!

Nimfa uśmiechnęła się i Hentcau poczuł, jak nienawiść i lęk zatruwają mu serce.

Bez słowa wyjęła perłowe spinki, którymi upięła włosy, jak to u ludzi robią kobiety, i luźne pasma przeczesała palcami. Wyfrunęły z nich czarne ćmy. Na skrzydłach miały jaśniejsze plamy, przypominające trupie czaszki. Gdy zbliżyły się do strażników, ci szybko otworzyli drzwi. Czekający w ciemnym korytarzu żołnierze Hentcaua również się odsunęli, gdy ćmy przefruwały obok nich. Wszyscy wiedzieli, że ich ukłucia przebijają nawet skórę goyla.

Nimfa ponownie wsunęła spinki we włosy.

– Gdy go znajdą – rzekła, nie patrząc na Hentcaua – przylecą do ciebie. Ty zaś przyprowadzisz go do mnie.

Jego ludzie wpatrywali się w nią przez otwarte drzwi, gdy jednak Hentcau się odwrócił, natychmiast spuścili głowy.

Nimfa.

Niech będzie przeklęta ona i ta noc, gdy stanęła nagle pośród ich namiotów. Trzecia bitwa, trzecie zwycięstwo. Podeszła do namiotu króla, jak gdyby wzięła się z jęku rannych i białego światła księżyca na ciałach poległych. Hentcau zagrodził jej drogę, ale po prostu przez niego przeniknęła. Jak woda przez porowaty kamień. Jakby on sam należał już do umarłych. I skradła serce jego królowi, by wypełnić własną, pozbawioną serca pierś.

Hentcau z niechęcią musiał przyznać, że nawet najlepsza broń nie budziła w połowie takiego strachu jak jej zaklęcie, które natychmiast zmieniało miękkie ciało przeciwnika w kamień. Był jednak pewien, że i bez niej wygraliby wojnę, a zwycięstwo o wiele bardziej by smakowało.

– Znajdę nefrytowego goyla i bez twoich motyli, pani – oznajmił. – O ile w istocie jest on czymś więcej niż snem.

Jej odpowiedzią był uśmiech. Towarzyszył mu do chwili, gdy wyszedł na światło dzienne, od którego mącił mu się wzrok i pękał naskórek.

Niech będzie przeklęta.

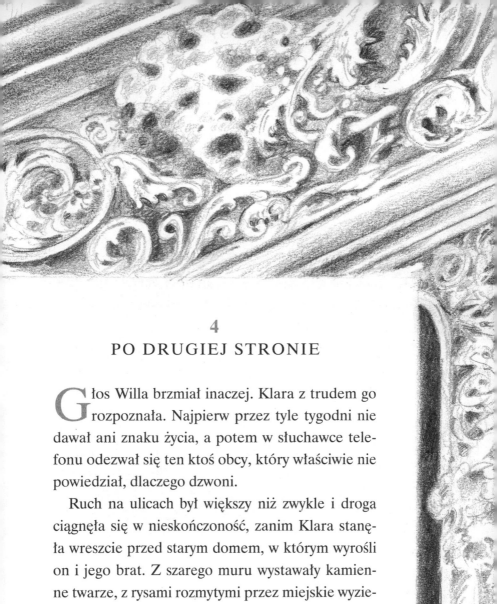

4

PO DRUGIEJ STRONIE

Głos Willa brzmiał inaczej. Klara z trudem go rozpoznała. Najpierw przez tyle tygodni nie dawał ani znaku życia, a potem w słuchawce telefonu odezwał się ten ktoś obcy, który właściwie nie powiedział, dlaczego dzwoni.

Ruch na ulicach był większy niż zwykle i droga ciągnęła się w nieskończoność, zanim Klara stanęła wreszcie przed starym domem, w którym wyrośli on i jego brat. Z szarego muru wystawały kamienne twarze, z rysami rozmytymi przez miejskie wyziewy. Klara mimowolnie spojrzała ku nim, gdy portier przytrzymywał jej drzwi. Pod płaszczem nadal miała bladozielony szpitalny fartuch, bo nie chciała tracić czasu na przebieranie się. Wybiegła w pośpiechu.

Will.

W jego głosie słychać było rozpacz. Jakby tonął i chciał się pożegnać.

Klara zasunęła za sobą kratę starej windy. Taki sam fartuch miała na sobie, gdy po raz pierwszy spotkała Willa przed drzwiami sali, w której leżała jego mama. W weekendy Klara często pracowała w szpitalu, nie tylko dlatego, że potrzebowała pieniędzy. Na studiach łatwo było zapomnieć, że pacjenci byli ludźmi z krwi i kości.

Siódme piętro.

Napis na miedzianej tabliczce z nazwiskiem był już tak niewyraźny, że Klara odruchowo przetarła go rękawem.

RECKLESS. Will często się śmiał, jak bardzo to nazwisko do niego nie pasuje.

Na podłodze leżały nieotwarte listy, lecz w korytarzu paliło się światło.

– Will?

Otworzyła drzwi do jego pokoju.

Nic.

W kuchni też go nie było.

Mieszkanie wyglądało, jakby od tygodni nikt w nim nie przebywał. Will mówił jednak, że dzwoni właśnie stąd. Gdzie więc się podział?

Klara minęła pusty pokój jego mamy, pokój brata, którego jeszcze nigdy nie widziała.

„Jakub wyjechał" – słyszała zawsze.

Czasem wątpiła, czy on naprawdę istnieje.

Zatrzymała się.

Drzwi do pokoju ojca były otwarte. Will nigdy tam nie wchodził. Omijał wszystko, co miało związek z ojcem.

Klara z wahaniem weszła do środka. Regały z książkami, oszklona szafka, biurko. Na skrzydłach wiszących nad nimi modeli samolotów zalegała gruba warstwa kurzu niczym brudny śnieg. Cały pokój był zakurzony i zimny. Z ust Klary wydobywały się obłoczki pary.

Między regałami wisiało lustro.

Klara podeszła bliżej i przesunęła dłonią po wyrzeźbionych w ramie srebrnych różach. Nigdy nie widziała czegoś równie pięknego. Szkło było ciemne, jakby wlała się w nie noc. Też było pokryte kurzem, ale w miejscu, w którym odbijała się twarz Klary, pozostał ślad dłoni.

5
SZWANSZTAJN

Światło lamp na ulicach Szwansztajnu przypominało rozmyte mleko. Gazowe latarnie. Drewniane koła powozów turkotały po nierównym bruku, kobiety chodziły w długich spódnicach z rąbkami mokrymi od kałuż. Wilgotne jesienne powietrze pachniało dymem. Popiół z palonego węgla opadał na bieliznę rozwieszoną między ostrymi szczytami domów. Naprzeciwko stacji powozów pocztowych i telegrafu zbudowano dworzec. Fotograf na srebrnych płytkach utrwalał sztywne kapelusze i sute spódnice. Rowery stały oparte o ściany domów, na których gęsto wisiały plakaty ostrzegające przed wodnikami i złotymi krukami. Niewiele było miejsc, w których świat po przeciwnej stronie lustra naśladowano by z takim zapałem jak w Szwansztajnie. Jakub nieraz się zastanawiał, jaką rolę odgrywało w tym lustro w gabinecie ojca. Kilka eksponatów w miejskim muzeum podejrzanie przypominało przedmioty ze świata po tamtej stronie. Kompas i aparat fotograficzny wydawały mu się tak znajome, że uznał je za własność ojca. Nikt jednak nie potrafił mu powiedzieć, gdzie zniknął człowiek, który je tu zostawił.

Bicie dzwonów na wieży oznajmiło nadejście wieczoru. Jakub szedł ulicą prowadzącą do rynku. Przed sklepem z pieczywem karlica sprzedawała gorące kasztany, ich słodka woń mieszała się z zapachem końskiego nawozu. Jak dotąd na tę stronę lustra nie przeniknął wynalazek automobilu. Na rynku stał konny pomnik księcia, pogromcy olbrzymów z okolicznych lasów. Był przodkiem dzisiejszej cesarzowej Teresy z Austrazji, której rodzina z takim zapałem polowała na olbrzymy i smoki, że na terenach jej podległych uznano je za wymarłe. Mały gazeciarz, wykrzykujący pod pomnikiem ostatnie wieczorne wiadomości, zobaczy najwyżej odcisk stopy giganta lub cień smoczego ognia na miejskich murach.

Decydująca bitwa, znaczne straty!… Generał poległ!… Tajne rokowania z goylami!…

W świecie po drugiej stronie lustra trwała wojna, i to nie ludzie ją wygrywali. Minęły już cztery dni od chwili, gdy bracia natknęli się na oddział zwycięskiej armii. Jakub nadal jednak miał przed oczami wyjeżdżających z lasu trzech żołnierzy i oficera, ich mokre od deszczu kamienne twarze, oczy ze złota i czarne szpony, które poszarpały skórę na szyi jego brata. Goyle.

„Pilnuj brata, Jakubie".

Wcisnął trzy miedziaki w brudną dłoń chłopca. Siedzący na jego ramieniu skrzat przyjrzał się im nieufnie. Wiele złośliwych skrzatów przyłączało się do ludzi, pozwalając im się karmić i odziewać, lecz ani trochę nie poprawiało to ich wiecznie złego humoru.

– Gdzie stacjonują goyle? – spytał Jakub i wziął gazetę.

– Niespełna osiem kilometrów stąd. – Chłopiec wskazał na południowy wschód. – Przy sprzyjającym wietrze było nawet słychać strzały, ale od wczoraj jest cicho.

Wydawał się zawiedziony. W jego wieku wojna miała zapach przygody.

Z gospody Pod Ludojadem, obok kościoła, wyszli cesarscy żołnierze. Z pewnością lepiej się orientowali. Jakub był świadkiem wydarzenia, któremu gospoda zawdzięczała swą nazwę. Jej właściciel stracił wówczas prawą rękę.

Gdy Jakub wszedł do ciemnej izby, Albert Chanute z posępną miną stał za kontuarem. Był tak otyły, że przypisywano mu rodzinne związki z trollami, czego tutaj nie uważano za komplement. Zanim jednak ludojad pozbawił go ręki, Chanute cieszył się opinią najlepszego łowcy skarbów w całej Austrazji i Jakub przez wiele lat pobierał u niego nauki. Chanute pokazał mu, jak zdobyć sławę i bogactwo, Jakub zaś w rewanżu nie dopuścił do tego, żeby starego poszukiwacza skarbów ludojad pozbawił głowy.

Ściany gospody pokrywały pamiątki wielkich chwil Chanutego: łeb brunatnego wilka, drzwiczki od pieca z piernikowego domku, kij samobij, który zeskakiwał ze ściany, gdy któryś z gości nieodpowiednio się zachowywał. Tuż nad kontuarem, na łańcuchu, którym wiązał swoje ofiary, wisiała ręka ludojada. To on właśnie przesądził o karierze Chanutego jako łowcy skarbów.

Skóra jak u jaszczurki nadal lśniła niebieskawo.

– Patrzcie no, Jakub Reckless. – Posępne usta Chanutego rozciągnęły się w uśmiechu. – Myślałem, że jesteś w Lotaryngii i szukasz klepsydry.

Chanute był legendą wśród poszukiwaczy skarbów, ale Jakub zdobył w tej dziedzinie nie mniejszą sławę. Trzej mężczyźni siedzący przy jednym z poplamionych stołów z zainteresowaniem unieśli głowy.

– Pozbądź się klientów – szepnął Jakub przez kontuar do gospodarza. – Mam z tobą do pogadania.

Potem poszedł na górę do izby, od lat jedynego miejsca, które nazywał domem.

Samonakrywający się stoliczek, szklany pantofelek, złota kula księżniczki – Jakub niejedno już tu znalazł i za spore pieniądze odsprzedał książętom i bogatym kupcom. W skrzyni ukrytej za drzwiami skromnej izdebki trzymał

34

jednak skarby, które zachował dla siebie. Służyły mu i ocaliły go z niejednej opresji. Przez myśl mu nie przeszło, że pewnego dnia będą musiały pomóc mu ratować brata.

Najpierw wyjął z kufra lnianą chusteczkę, która tylko pozornie była zwykłym kawałkiem materiału, bo gdy potarło się ją między palcami, wypadał jeden lub dwa złote talary. Jakub przed laty dostał ją od pewnej czarownicy w zamian za pocałunek, którego piekący smak jeszcze wiele tygodni czuł na ustach. Inne przedmioty, które zgromadził w plecaku, wyglądały równie niepozornie: srebrna tabakierka, mosiężny klucz, cynowy talerz i buteleczka z zielonego szkła. Każdy z nich przynajmniej raz uratował mu życie.

Gdy Jakub wrócił na dół, w gospodzie nie było już żadnych gości. Chanute siedział przy stole, a kiedy Jakub zajął miejsce obok niego, podsunął mu pucharek wina.

– A więc jakie tym razem masz kłopoty?

Chanute tęsknie spojrzał na wino. Miał przed sobą jedynie szklanicę wody. Dawniej często się upijał i Jakub chował przed nim butelki, mimo że Chanute go za to bił. Stary łowca skarbów często rzucał się na niego z pięściami, nawet gdy był trzeźwy. Do czasu, aż pewnego dnia Jakub wycelował w niego pistolet. Chanute był pijany również w jaskini ludojada. Być może nie straciłby ręki, gdyby mógł wtedy skupić wzrok. Potem przestał pić. Łowca skarbów był marną namiastką ojca i Jakub miał się przed nim odrobinę na baczności. Jeżeli ktoś wiedział, jak ocalić Willa, to tylko Albert Chanute.

– Co byś zrobił, gdyby któregoś z twoich przyjaciół podrapały szpony goyla?

Chanute zakrztusił się wodą i spojrzał na Jakuba, jakby się chciał upewnić, czy nie ma na myśli siebie.

– Nie mam przyjaciół – mruknął. – Podobnie jak ty. Przyjaciołom należy ufać, a z tym mamy kłopoty. O kim mowa?

Jakub tylko pokręcił głową.

– Rozumiem. Jakub Reckless lubi tajemnice! Jak mogłem zapomnieć? – W głosie Chanutego pobrzmiewała gorycz. Mimo wszystko traktował Jakuba jak syna, którego nigdy nie miał. – Kiedy to się stało?

– Cztery dni temu.

Goyle zaatakowali ich w pobliżu wsi, w której Jakub szukał klepsydry. Nie zdawał sobie sprawy, że ich oddziały aż tak daleko wdarły się w głąb cesarskich ziem. Will po ataku czuł tak straszliwy ból, że droga powrotna zajęła im kilka dni. Wracali? Dokąd? Nie było odwrotu, ale Jakub nie miał serca powiedzieć tego bratu.

Chanute przeczesał palcami siwe sterczące włosy.

– Cztery dni? No to kiepsko. Już w połowie jest jednym z nich. Pamiętasz, jak cesarzowa ich wszystkich wyłapywała, a pewien chłop chciał nam sprzedać jednego, mówiąc, że jest z onyksu? Tymczasem pokrył jego chalcedonową skórę kopciem z lampy?

36

Tak, Jakub pamiętał. Kamienne twarze. Wtedy tak ich jeszcze nazywano. Dzieciom przed snem opowiadano o nich, żeby napędzić strachu. Gdy wędrował z Chanutem, goyle właśnie zaczęli zajmować jaskinie na powierzchni ziemi i każda wieś organizowała na nich polowania z nagonką. Teraz jednak mieli króla, a on odwrócił role i ze zwierzyny uczynił ich myśliwymi.

Przy drzwiach coś zachrobotało i Chanute wydobył nóż. Rzucił nim tak szybko, że przybił do ściany przebiegającego szczura.

– Ten świat się kończy – mruknął, odsuwając się z krzesłem od stołu. – Szczury są wielkie jak psy. Z powodu fabryk na ulicach cuchnie jak w jaskini trollów, a goyle stacjonują o parę kilometrów stąd.

Wziął martwego szczura i położył go na stole.

– Jeśli komuś zaczyna rosnąć kamienne ciało, nic nie pomoże. Ja jednak pojechałbym do chaty czarownicy i w ogrodzie poszukał krzaków z czarnymi jagodami. – Chanute wytarł w rękaw zakrwawiony nóż. – Tyle że to musi być ogród czarownicy pożerającej dzieci.

– Myślałem, że odkąd oprócz cesarzowej polują na nie inne czarownice, wszystkie przeniosły się do Lotaryngii.

– Ich chaty pozostały. Krzaki rosną tam, gdzie zakopały kości swoich ofiar. Na złe zaklęcia jagody to najsilniejsze lekarstwa, jakie znam.

Jagody czarownicy. Jakub przyglądał się przymocowanym do ściany drzwiczkom od pieca.

– Czarownica z Czarnego Lasu pożerała dzieci, prawda?

– Była jedną z najgorszych. Kiedyś w jej chacie szukałem grzebienia. Człowieka, który dotknie nim włosów, przemienia w kruka.

– Wiem. Powiedziałeś, żebym poszedł tam pierwszy.

– Naprawdę?

Chanute w zakłopotaniu potarł tłusty nos. Powiedział wtedy Jakubowi, że czarownica wyfrunęła.

– Rany polewałeś mi wódką.

Pozostały mu odciski palców czarownicy. Rany goiły się tygodniami.

Jakub zarzucił plecak na ramię.

– Potrzebny mi juczny koń, prowiant, dwie strzelby i amunicja.

Chanute najwyraźniej go nie słuchał. Wpatrywał się w trofea.

– Stare dobre czasy – wymruczał. – Cesarzowa trzy razy osobiście mnie przyjęła. A tobie ile razy się to udało?

Jakub potarł chustkę w kieszeni. Wziął udział już w sześciu audiencjach, ale wolał o tym nie mówić, by nie pognębiać Chanutego.

– Schowaj pieniądze! – mruknął szorstko Chanute. – Nie wezmę ich. – Potem wręczył Jakubowi nóż. – Bierz – powiedział. – To ostrze przetnie wszystko. Tobie przyda się bardziej niż mnie.

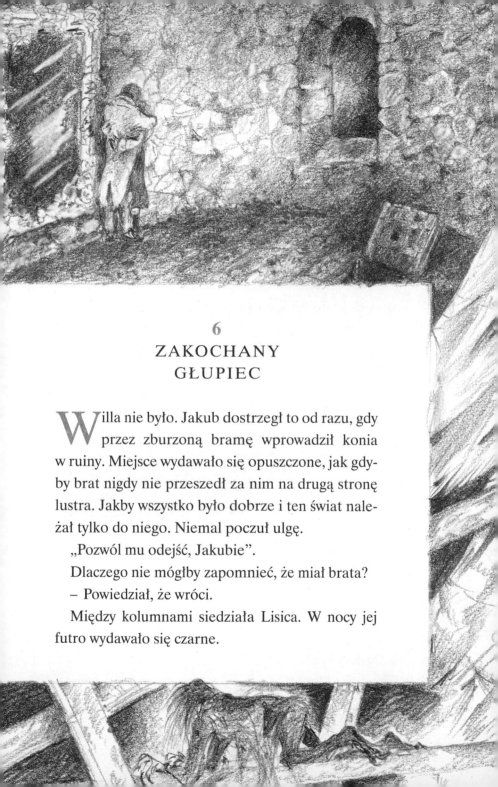

6
ZAKOCHANY
GŁUPIEC

Willa nie było. Jakub dostrzegł to od razu, gdy przez zburzoną bramę wprowadził konia w ruiny. Miejsce wydawało się opuszczone, jak gdyby brat nigdy nie przeszedł za nim na drugą stronę lustra. Jakby wszystko było dobrze i ten świat należał tylko do niego. Niemal poczuł ulgę.

„Pozwól mu odejść, Jakubie".

Dlaczego nie mógłby zapomnieć, że miał brata?

– Powiedział, że wróci.

Między kolumnami siedziała Lisica. W nocy jej futro wydawało się czarne.

– Próbowałam go powstrzymać, ale jest równie uparty jak ty.

„Kolejny błąd, Jakubie".

Powinien był zabrać Willa do miasteczka, zamiast ukrywać go w ruinach. Will chciał wracać do domu. Koniecznie. Jednak kamień w swym ciele zabrałby z sobą.

Jakub zaprowadził konia do dwóch pozostałych, pasących się za murami, i podszedł do wieży. Jego cień pisał na posadzce jedno jedyne słowo: „Wróć".

„Kłopot dla ciebie, Jakubie, szansa dla Willa".

Bluszcz gęsto porastał poczerniałe od sadzy kamienie i jego wiecznie zielone pędy tworzyły kurtynę przed pustą jamą drzwi. Tylko wieża, prawie nietknięta, przetrwała pożar. W jej wnętrzu trzepotały skrzydłami nietoperze, a pleciona drabinka, którą przed laty tu zawiesił, srebrzyście lśniła w ciemności. Elfy pozostawiały na niej swój pyłek, nie dając mu zapomnieć, że kiedyś przyszedł tędy z drugiej strony lustra.

Gdy chwycił liny, Lisica spojrzała na niego z troską.

– Wyruszymy, gdy tylko wrócę z Willem – powiedział.

– Wyruszymy? Dokąd?

Jakub już jednak wspinał się po chybotliwej drabince.

Pomieszczenie na wieży oświetlał blask dwóch księżyców. Brat stał obok lustra. Nie był sam.

Z jego ramion wysunęła się dziewczyna. Była ładniejsza niż na zdjęciach, które Will mu pokazywał.

„Zakochany głupiec".

– Co ona tu robi? – Poczuł, że z gniewu dostaje gęsiej skórki. – Straciłeś rozum?

Starł z dłoni elfi pył. Chwila nieuwagi wystarczyła, by zadziałał usypiająco.

– Klaro. – Will wziął ją za rękę. – To Jakub, mój brat.

Jej imię wymówił jak nazwę cennego klejnotu. Will zawsze zbyt poważnie traktował miłość.

– Co jeszcze musi się stać, żebyś zrozumiał, co to za miejsce?! – zawołał ze złością Jakub. – Odeślij ją z powrotem. Natychmiast.

Klara czuła strach, ale starała się go ukryć. Strach przed miejscem, które przecież nie istniało, przed rdzawym księżycem na niebie.

„I przed tobą, Jakubie".

Wydawała się zaskoczona tym, że starszy brat Willa naprawdę istnieje. Był nierzeczywisty jak pomieszczenie, w którym się znalazła.

Ujęła dłoń Willa i dotknęła nią swojego czoła.

– Co to jest? – wyjąkała. – Nigdy jeszcze nie widziałam takiej wysypki!

„Oczywiście. Studentka medycyny… Spójrz na nią, Jakubie! Jest tak samo chora z miłości jak twój brat".

Tak zakochana, że poszła za nim w nieznane.

Stwór, który ugryzł Jakuba podczas jego pierwszej wyprawy na drugą stronę lustra, nie dał się przez te wszystkie lata przepędzić. Gdy jednak Jakub wyciągnął broń, jego paskudna twarz szybko znikła wśród pajęczych sieci.

41

Przez jakiś czas używał starych rewolwerów ze zbioru ojca, w końcu jednak pozostawił tylko obudowę jednego z nich, do środka zaś kazał wmontować nowoczesny mechanizm.

Klara z przerażeniem patrzyła na połyskującą lufę.

– Odeślij ją z powrotem, Will. – Jakub wsunął broń za pasek. – Więcej tego nie powtórzę.

Will przez ten czas przeżył rzeczy o wiele gorsze niż gniew starszego brata, w końcu jednak się odwrócił i odgarnął z czoła Klary kosmyk jasnych włosów.

– On ma rację – usłyszał Jakub jego szept. – Wkrótce do ciebie przyjdę. To zniknie, zobaczysz. Mój brat znajdzie na to sposób.

Jakub nie pojmował, skąd się brało zaufanie Willa. Nie naruszyły go nawet lata, gdy się prawie nie widywali.

– Chodź.

Jakub odwrócił się i ruszył do włazu w podłodze. Dobiegły go jeszcze słowa Willa:

– Wracaj, Klaro. Proszę.

Gdy brat wreszcie podszedł do włazu, Jakub stał już u stóp drabinki. Will schodził wolno, jakby nigdy nie chciał dotrzeć na dół. Potem stał tam i przyglądał się pyłowi elfów na swoich dłoniach. Spać i mieć zachwycające sny. Niezgorszy prezent. Will jednak wytarł pył z dłoni, jak go nauczył Jakub, i dotknął szyi. Tam też pojawiły się pierwsze bladozielone plamy.

– Ty nikogo nie potrzebujesz, prawda, Jakubie? – W jego głosie pobrzmiewała zazdrość. – Tak było zawsze.

Jakub odgarnął bluszcz.

– Jeżeli jest dla ciebie tak ważna – odezwał się – powinieneś zostawić ją w bezpiecznym miejscu.

– Tylko do niej zadzwoniłem! Od wielu tygodni nie miała ode mnie żadnej wiadomości. Nie spodziewałem się, że pójdzie za mną.

– Czyżby? To na kogo czekałeś na górze?

Will nie odpowiedział.

Lisica czekała przy koniach. Wcale jej się nie spodobało, że Jakub wrócił z Willem.

„Jemu już nikt nie może pomóc" – nadal można było wyczytać w jej spojrzeniu.

„Zobaczymy, Lisico".

Konie były niespokojne. Will czule pogładził je po chrapach. Jego wrażliwy brat dawniej przyprowadzał do domu każdego bezpańskiego psa, a w parku opłakiwał otrutego szczura. Teraz jednak to, co rosło w jego ciele, było twarde i brutalne.

– Dokąd pojedziemy?

Spojrzał na wieżę.

Jakub dał mu jedną ze strzelb przytroczonych do siodła.

– Do Czarnego Lasu.

Lisica uniosła łeb.

„Wiem, Lisico. To nieprzyjemne miejsce".

Klacz lekko szturchnęła go pyskiem w plecy. Jakub dał za nią Chanutemu swój całoroczny zarobek, była jednak tego warta. Podciągnął popręg. W tej samej chwili Lisica ostrzegająco warknęła.

Kroki. Coraz wolniejsze. Nagle ucichły.

Jakub się odwrócił.

– Nieważne, co to za miejsce... – Między poczerniałymi kolumnami stała Klara. – Zostanę. Will mnie potrzebuje. I chcę wiedzieć, co się wydarzyło.

Lisica przyglądała się jej nieufnie, jak obcemu zwierzęciu. Kobiety w jej świecie nosiły długie suknie i wysoko upinały włosy. Lub splatały je w warkocze jak chłopskie córki. Ta miała na sobie spodnie i była ostrzyżona prawie po męsku.

W ciemnościach rozległo się wycie wilka i Will odciągnął Klarę na bok. Mówił do niej, ona jednak wzięła go za rękę i pogładziła ciągnące się w niej kamienne żyły.

„Już nie pilnujesz Willa sam, Jakubie".

Klara spojrzała w jego stronę, przez chwilę przypominała mu matkę. Dlaczego nigdy nie powiedział jej o lustrze? Może zdjąłby nieco smutku z jej twarzy?

„Za późno, Jakubie. O wiele za późno".

Lisica nadal nie odrywała wzroku od Klary. Jakub czasem zapominał, że ona też była dziewczyną.

Zawył drugi wilk. Zwykle były przyjazne, lecz czasem znalazł się wśród nich brunatny, który nader chętnie próbował ludzkiego mięsa.

Will z lękiem nasłuchiwał. Po chwili znowu odwrócił się do Klary.

Lisica uniosła łeb.

– Powinniśmy ruszać – szepnęła do Jakuba.

– Nie, dopóki ona nie wróci.

Lisica spojrzała na niego. Miała bursztynowe oczy.

– Zabierz ją ze sobą.

– Nie!

Tylko by ich zatrzymywała. Lisica wiedziała równie dobrze jak Jakub, że Will ma coraz mniej czasu. On jeszcze tego Willowi nie powiedział.

Lisica się odwróciła.

– Zabierz ją! – powtórzyła. – Twój brat będzie jej potrzebował. Ty również. Chyba że już nie wierzysz w mój instynkt?

Po tych słowach znikła w ciemności, jakby nie warto było na nich czekać.

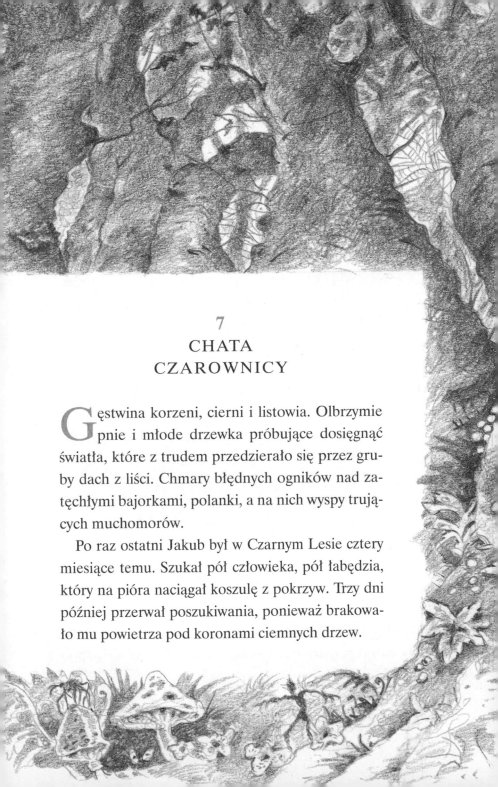

7
CHATA CZAROWNICY

Gęstwina korzeni, cierni i listowia. Olbrzymie pnie i młode drzewka próbujące dosięgnąć światła, które z trudem przedzierało się przez gruby dach z liści. Chmary błędnych ogników nad zatęchłymi bajorkami, polanki, a na nich wyspy trujących muchomorów.

Po raz ostatni Jakub był w Czarnym Lesie cztery miesiące temu. Szukał pół człowieka, pół łabędzia, który na pióra naciągał koszulę z pokrzyw. Trzy dni później przerwał poszukiwania, ponieważ brakowało mu powietrza pod koronami ciemnych drzew.

Dopiero w południe dotarli na skraj lasu, ponieważ Will znowu miał bóle. Kamienna tkanka pokryła mu już całą szyję, Klara jednak jakby tego nie widziała. Miłość jest ślepa. Zachowanie dziewczyny potwierdzało to porzekadło. Na krok nie odstępowała Willa i obejmowała go, gdy kamień znowu zaczynał rosnąć i chłopak z bólu kulił się w siodle. Gdy jednak nie czuła na sobie niczyjego wzroku, Jakub widział na jej twarzy lęk. Zapytała go o kamień i skłamał jej tak samo jak bratu: że zmienia się tylko skóra Willa i wyleczenie go to drobnostka. Nietrudno było ją przekonać. Oboje chętnie wierzyli we wszystko, co przynosiło pociechę.

Klara jeździła konno lepiej, niż Jakub sądził. Na targu kupił jej suknię. Gdy jednak w długiej spódnicy daremnie próbowała wsiąść na konia, wymieniła ją na męskie ubranie. Dziewczyna w męskim stroju i kamienna szyja Willa to było za wiele i Jakub ucieszył się, gdy zostawili za sobą wioski i uczęszczane gościńce i wjechali między drzewa. Choć wiedział, co tu na nich czeka: korogryzy, grzybalce, sidlarze, wrońce. Czarny Las miał wielu nieprzyjaznych mieszkańców, choć cesarzowa od lat starała się ich stąd wyplenić. Mimo zagrożenia prowadzono ożywiony handel rogami, kłami i skórami leśnych mieszkańców. Jakub nigdy nie zarabiał w ten sposób, wielu jednak dobrze z tego żyło: piętnaście srebrnych talarów za grzybalca (dwa talary dodatkowo, jeżeli potrafił pluć jadem muchomora), trzydzieści za korogryza (mało, jeśli wziąć pod uwagę, że na takim polowaniu łatwo było stracić życie) i czterdzieści za wrońca (który atakował oczy).

Z wielu drzew opadły liście, ale pod gęstymi koronami gałęzi nadal panował lekki jesienny półmrok. Wkrótce musieli zsiąść z koni i prowadzić je za wodze, ponieważ coraz częściej stawały, plącząc się w gęstym poszyciu. Jakub przestrzegł Klarę i Willa, by nie dotykali drzew. Korogryz jednak na przynętę powtykał w korę dębu lśniące perły i Klara zapomniała o ostrzeżeniu. Jakub w porę zdążył zdjąć z jej nadgarstka szkaradną małą kreaturę, zanim weszła do rękawa.

– Oto jeden z powodów – powiedział, podsuwając jej korogryza tak blisko oczu, żeby mogła zobaczyć ostre zęby nad zestrupiałymi wargami – dla których nie powinniście dotykać drzew. Gdy ugryzie pierwszy raz, kręci się w głowie, drugie ugryzienie powoduje paraliż. Jesteś całkowicie świadomy, gdy cała jego rodzina wysysa ci krew. Niezbyt przyjemny sposób umierania.

„Rozumiesz teraz, że powinieneś był ją odesłać z powrotem?".

Przyciągając do siebie Klarę, Will dostrzegł wyrzut w oczach Jakuba. Od tej chwili jednak dziewczyna była ostrożna. Gdy zawisła nad nimi mokra od rosy sieć sidlarza, Klara w porę odciągnęła Willa. Przepędzała też złote kruki chcące wykrzyczeć im do uszu swoje przekleństwa.

Mimo wszystko to nie było miejsce dla niej. Jeszcze bardziej niż dla jego brata.

Lisica odwróciła się i spojrzała na Jakuba.

„Przestań – ostrzegały jej oczy. – Powtarzam ci, że będzie jej potrzebował".

Lisica. Futrzany cień. Błędne ogniki, unoszące się chmarami wśród drzew, swoim brzęczeniem nieraz zwabiły na manowce nawet Jakuba. Lisica jednak strząsała je z grzbietu jak natrętne muchy i szła dalej, nie dając się zbić z tropu.

Trzy godziny później, wśród dębów i jesionów, pojawiło się pierwsze drzewo czarownicy. Jakub ostrzegł Klarę i Willa przed jego gałęziami, które chętnie wbijały się w ludzkie oczy. Wtem Lisica stanęła.

Dźwięk prawie zlewał się z brzęczeniem błędnych ogników. Był jak szczęk nożyczek. Niezbyt groźny. Will i Klara nawet go nie usłyszeli. Sierść Lisicy zjeżyła się gwałtownie, a Jakub położył dłoń na rękojeści szabli. Tylko jeden mieszkaniec lasu mógł dawać o sobie znać w ten sposób. I jego właśnie Jakub najbardziej się obawiał.

– Chodźmy szybciej – szepnął do Lisicy. – Jak daleko jeszcze do chaty?

Byli już coraz bliżej.

– Mamy mało czasu – mruknęła cicho Lisica.

Dźwięk umilkł, lecz cisza, która po nim nastąpiła, była jeszcze groźniejsza. Nie śpiewał żaden ptak. Zniknęły nawet błędne ogniki. Lisica niespokojnie spojrzała na las i ruszyła tak szybko, że konie ledwie za nią nadążały w gęstych zaroślach.

Las ciemniał i Jakub z torby przy siodle wyjął latarkę, którą wziął z tamtej strony lustra. Coraz częściej mijali drzewa czarownicy. Dęby i jesiony zastąpiła tarnina. Czarnozielone igły jodeł pochłaniały resztę światła. Konie spłoszyły się na widok wyłaniającej się spośród drzew chaty.

Gdy przed laty Jakub przybył tu z Chanutem, między drzewami czerwieniły się gonty dachu, jakby czarownica pomalowała je wiśniowym sokiem. Teraz porastał je mech, a z okien łuszczyła się farba. Na ścianach i spadzistym dachu pozostało jeszcze trochę ciasta. Z rynien i parapetów zwisały cukrowe sople, a cały dom pachniał cynamonem i miodem, jak przystało na pułapkę dla dzieci. Czarownice wiele razy próbowały usunąć ze swojego rodu krewne pożerające dzieci. Dwa lata temu ostatecznie wypowiedziały im wojnę. Czarownica, która uprawiała swój niecny proceder w Czarnym Lesie, teraz ponoć wiodła życie ropuchy w jednej z bagnistych leśnych sadzawek.

Na otaczającym dom żelaznym ogrodzeniu nadal tkwiły kolorowe słodkie cukierki. Klacz Jakuba zadrżała, gdy wprowadzał ją przez bramę. Ogrodzenie piernikowej chatki wpuszczało każdego, nikomu jednak nie pozwalało wyjść. Chanute pilnował wtedy, żeby podczas ich wizyty brama pozostała szeroko otwarta. Jednak to coś, co podążało za nimi, przejmowało Jakuba większym lękiem niż opuszczony dom. Gdy tylko zamknął bramę za Klarą, znowu wyraźnie usłyszał szczęk nożyc. Tym razem brzmiał gniewnie. Na szczęście się nie zbliżał i Lisica z ulgą spojrzała na Jakuba. Okazało się – na co też liczyli – że ich prześladowca nie był przyjacielem czarownicy.

– A jeżeli na nas zaczeka? – wyszeptała Lisica.

„Właśnie, co wtedy, Jakubie?".

Było mu to obojętne. Najważniejsze, żeby za domem rosły jeszcze jagody opisane przez Chanutego.

Will zaprowadził konie do studni. Spuścił zardzewiałe wiadro, żeby nabrać wody. Przyglądał się chatce z piernika jak trującej roślinie. Klara pogładziła cukrowy sopel, nie wierząc własnym oczom.

„Chrupu, chrupu, chrupki, kto wszedł do chałupki?".

Którą wersję bajki znała Klara?

„Suchą ręką chwyciła Jasia i zaniosła do chlewika. Tam włożyła go do kojca i zamknęła drzwiczki. Mógł płakać do woli. Nic mu nie pomogło".

– Pilnuj, żeby nie zjadła ani kawałka ciasta – powiedział Jakub do Lisicy, po czym ruszył na poszukiwanie jagód.

Pokrzywy za domem wybujały, jakby w ogrodzie czarownicy pełniły straż. Parzyły skórę Jakubowi, on jednak wytrwale torował sobie drogę wśród ich jadowitych liści, aż między szalejem i wilczą jagodą znalazł to, czego szukał: niepozorny krzew o pierzastych liściach. Jakub zebrał garść czarnych jagód, gdy nagle usłyszał za sobą kroki.

Wśród zdziczałych grządek stanęła Klara.

– Tojad, konwalijka dwulistna, szalej jadowity. – Spojrzała na niego wymownie. – To wszystko trujące rośliny.

Najwyraźniej na studiach nauczyła się też kilku pożytecznych rzeczy. Will wiele razy mu opowiadał, jak ją poznał w szpitalu. Na oddziale, gdzie leżała ich mama.

„Wtedy gdy cię nie było, Jakubie".

Wyprostował się. Z lasu znowu dobiegł szczęk nożyc.

– Czasem, żeby wyleczyć, trzeba użyć trucizny – odpowiedział. – Tobie chyba nie muszę tego tłumaczyć. Choć o tych jagodach pewnie się nie uczyłaś.

Napełnił jej dłonie czarnymi owocami.

– Will musi zjeść ich dwanaście. Przed wschodem słońca powinny zadziałać. Przekonaj go, żeby położył się spać. Od wielu dni prawie nie zmrużył oka.

Goyle potrzebowali niewiele snu. To jedna z cech, które zapewniały im przewagę nad ludźmi.

Klara spojrzała na jagody w swojej dłoni. Miała mnóstwo pytań, lecz ich nie zadała. Co Will opowiedział jej o Jakubie?

„Tak, mam brata. Od dawna jednak jest dla mnie kimś obcym".

Odwróciła się i nasłuchiwała dźwięków dochodzących z lasu. Tym razem i ona usłyszała szczęk nożyc.

– Co to jest? – spytała.

– Nazywają go Krawcem. Nie odważy się wejść za ogrodzenie, ale nie wymkniemy się stąd, dopóki tu jest. Spróbuję go przepędzić. – Jakub wyjął z kieszeni klucz, który zabrał z kuferka w gospodzie Chanutego. – Płot was nie wypuści, ten klucz jednak otworzy wszystkie drzwi. Gdy tylko wyjdę, przerzucę go przez bramę na wypadek, gdybym nie wrócił. Lisica doprowadzi was do ruin. Tylko nie otwieraj bramy przed wschodem słońca.

Will nadal stał przy studni. Ruszył w stronę Klary, chwiejąc się ze zmęczenia.

– Nie pozwól mu spać w izbie z piecem – szepnął Jakub do Klary. – Powietrze w niej sprowadza złe sny. I pilnuj, żeby za mną nie poszedł.

Will bez wahania zjadł jagody. Czar, który wszystko leczy. Zawsze łatwiej niż Jakubowi udawało mu się wierzyć w takie rzeczy. Był ogromnie zmęczony. Nie protestował, gdy Klara pociągnęła go za sobą do chaty z piernika. Słońce zniżało się nad wierzchołkami drzew, a czerwony księżyc wisiał na niebie jak krwawy odcisk palca. Gdy na jego miejscu pojawi się słońce, kamień w ciele Willa będzie już tylko złym wspomnieniem. Jeżeli jagody zadziałają.

Jeżeli.

Jakub podszedł do płotu i spojrzał w las.

No tak.

Ich prześladowca nadal tu był.

Lisica z niepokojem spoglądała na Jakuba, gdy ten podszedł do klaczy i wyciągnął z torby nóż Chanutego.

W walce z tym, który czekał w lesie, nie pomoże żadna kula. Podobno ugodzony pociskiem stawał się jeszcze silniejszy.

Las wypełniał się tysiącem cieni i Jakubowi wydawało się, że wśród drzew dostrzega ciemną postać.

„Przynajmniej nie będzie ci się dłużyło czekanie do świtu, Jakubie".

Wsunął nóż za pas i z plecaka wyjął latarkę. Gdy ruszył do płotu, Lisica pobiegła za nim.

– Nie możesz wyjść. Już ciemno – odezwała się.

– Co z tego? – mruknął.

– Może do rana odejdzie!

– Dlaczego miałby to zrobić?

Gdy tylko wsunął klucz w zardzewiały zamek, furtka od razu się otworzyła.

Wiele dziecięcych dłoni wcześniej z pewnością daremnie szarpało za klamkę.

– Zostań tu, Lisico – nakazał.

Ale ona jednym susem znalazła się przy jego nogach i Jakub zamknął za sobą furtkę.

8
KLARA

W pierwszej izbie był piec. Gdy Will próbował do niej zajrzeć, ale Klara pociągnęła go dalej. Wąski korytarz pachniał ciastem i słodkimi migdałami. W kolejnym pokoju, na oparciu zniszczonego fotela, wisiał damski szal haftowany w czarne ptaki.

Łóżko stało w ostatniej izbie. We dwoje z trudem się na nim zmieścili. Koce były przeżarte przez mole. Ledwie Jakub zamknął za sobą furtkę, Will już spał. Kamień na jego szyi wyglądał podobnie jak wcześniej plamy leśnych cieni.

Klara ostrożnie pogłaskała matową zieleń. Była chłodna i śliska. Piękna i straszna zarazem.

Co się stanie, jeżeli owoce nie pomogą? Brat Willa znał odpowiedź i bał się jej. Nauczył się jednak skrywać lęk.

Jakub. Will opowiadał Klarze o nim, ale pokazał jej tylko zdjęcie, na którym byli jeszcze dziećmi. Już wtedy oczy Jakuba były inne niż jego brata. Brakowało w nich łagodności Willa. I jego spokoju.

Klara wysunęła się z objęć Willa i przykryła go pledem czarownicy. Na jego ramieniu przysiadła ćma, czarna jak odcisk nocy. Odleciała, gdy Klara pochyliła się, żeby pocałować śpiącego. Nie obudził się. Zostawiła go samego i wyszła na dwór.

Chatka z piernikowym dachem, rudy księżyc nad drzewami – wszystko wokół niej wydawało się tak nierzeczywiste, że czuła się jak lunatyczka. To, co było jej bliskie, znikło. Jak gdyby przepadło wszystko, co pamiętała. Znała jedynie Willa, ale jego ciało zamieniało się w kamień.

Lisicy nie było. Oczywiście poszła z Jakubem.

Jak obiecał, klucz leżał przed furtką. Klara podniosła go i przesunęła dłonią po gładkim metalu. Muzyka błędnych ogników wypełniała powietrze dźwiękiem podobnym do brzęczenia pszczół. Na drzewie odezwał się kruk. Klara jednak nasłuchiwała czegoś innego: ostrego szczęknięcia metalu, przez które spochmurniała twarz Jakuba i przez które musiał wrócić do lasu. Kim był ten ktoś wyczekujący wśród drzew, tak groźny, że chata Baby-Jagi stała się bezpiecznym schronieniem?

Ciach, ciach. Znowu. Jak kłapnięcie metalowych zębów. Klara odsunęła się od płotu. Długie cienie kładły się na dom, a ona czuła ten sam strach co w dzieciństwie, gdy była sama i słyszała kroki na schodach.

Powinna była powiedzieć Willowi o zamiarze Jakuba. Nigdy jej nie wybaczy, gdyby Jakub nie wrócił.

Wróci.

Musi wrócić.

Bez niego nigdy nie trafią do domu.

9
KRAWIEC

C zyżby szedł za nimi? Jakub poruszał się wolno. Chciał, żeby myśliwy, którego zwabili, mógł za nim nadążyć. Słyszał jednak tylko własne kroki, trzask pękających spróchniałych gałęzi pod stopami i szelest liści. Gdzie on był? Jakub zlękł się, że jego prześladowca zapomniał o strachu przed czarownicą, i od tyłu, za jego plecami, wśliznął się przez furtkę. Nagle z lasu, po lewej stronie, znowu doleciał szczęk nożyc. Najwyraźniej prawdą było to, co mu opowiadano: Krawiec, zanim przystąpi do krwawego dzieła, lubi zabawić się z ofiarami w kotka i myszkę.

Nikt nie potrafił wyjaśnić, kim lub czym dokładnie był. Historie o Krawcu były prawie tak stare jak Czarny Las. Wiedziano jedno: jego imię wzięło się stąd, że szył ubrania z ludzkiej skóry.

Ciach, ciach, klap, klap. Wśród drzew pojawił się prześwit. Gdy z gałęzi dębu poderwało się stado wron, Lisica rzuciła Jakubowi ostrzegawcze spojrzenie. Szczęk stał się tak głośny, że zagłuszył nawet ich krakanie. Promień latarki wyłowił stojącą pod dębem ludzką sylwetkę.

Ten lustrujący strumień światła nie spodobał się Krawcowi. Chrząknął gniewnie i wykonał ruch, jakby odpędzał natrętnego owada. Jakub nadal jednak przesuwał światło latarki po brodatej, brudnej twarzy, po strasznym odzieniu, jakby je uszyto z nieudolnie wyprawionej zwierzęcej skóry, i po skalanych krwawym procederem niezdarnych dłoniach. Palce lewej ręki przechodziły w szerokie ostrza, każde długości sztyletu. Palce prawej były równie straszne – długie, cienkie i ostre jak krawiecka igła. Przy każdej dłoni brakowało po jednym palcu – najwyraźniej jego ofiary zawzięcie broniły swojej skóry – lecz Krawiec nie wydawał się przejmować ich brakiem. Wzniósł zabójcze igły, jakby z cienia drzew wycinał formę lub brał miarę na ubranie, które zamierzał uszyć ze skóry Jakuba.

Lisica wyszczerzyła kły, warcząc, cofnęła się i stanęła u boku Jakuba. Zagarnął ją za siebie, lewą ręką dobył szabli, a prawą noża Chanutego.

Przeciwnik poruszał się ociężale jak niedźwiedź, lecz jego ręce przerażająco szybko siekły i kłuły kolczaste zarośla.

Miał oczy pozbawione wyrazu jak oczy trupa, lecz brodatą twarz wykrzywiła żądza mordu. Wyszczerzył żółte zęby, jakby nimi też chciał zdzierać skórę z Jakuba.

Najpierw zamierzył się na niego ostrzami nożyc. Jakub szablą odparował cios, nożem zaś ciął w uzbrojoną w igły dłoń. Walczył już z gromadą pijanych żołdaków, ze strażnikami zaklętych zamków, z przydrożnymi rzezimieszkami i z watahą tresowanych wilków. To jednak było znacznie gorsze. Krawiec nacierał na niego nieubłaganie i Jakub czuł, jakby staczał bój z sieczkarnią.

Jego przeciwnik nie był bardzo wysoki, Jakub przewyższał go wzrostem. Mimo to już po chwili poczuł pierwsze cięcia na barkach i rękach.

„Dawaj, Jakubie. Spójrz na jego ubranie. Chcesz tak skończyć?".

Nożem odciął mu jeden z zakończonych igłą palców. Wściekły ryk Krawca wykorzystał, by zaczerpnąć tchu, i szablą powstrzymał ostrza, zanim rozcięły mu twarz. Dwie igły podrapały mu skórę jak kocie pazury, inna niemal przewierciła ramię. Jakub cofnął się pomiędzy drzewa. Ostrza rozdarły korę zamiast jego skóry, igły zaś wbiły się głęboko w drewno. Krawiec szybko się jednak wyswobodził. Nie okazywał najmniejszego zmęczenia, podczas gdy siły Jakuba topniały.

63

Gdy jedno z ostrzy Krawca uderzyło tuż obok niego w korę, Jakub odciął mu kolejny palec. Napastnik zawył jak wilk i z tym większą wściekłością natarł na Jakuba. Z rany nie wyciekła mu ani kropla krwi.

„Skończysz jako para spodni, Jakubie!".

Chłopak oddychał z trudem. Serce waliło mu jak oszalałe. Potknął się o korzeń i zanim zdołał się podnieść, Krawiec jedną z igieł wbił mu głęboko w ramię. Ból powalił Jakuba na kolana. Nie dał rady powstrzymać Lisicy, która rzuciła się na Krawca i wbiła mu zęby głęboko w nogę. Już nieraz ocaliła mu skórę, tym razem jednak dosłownie. Krawiec próbował się jej pozbyć. Zapomniał o Jakubie i gdy z wściekłością wziął zamach, żeby wbić ostrza w jej pokryte futrem ciało, Jakub nożem Chanutego odciął mu rękę.

Krzyk Krawca przeszył ciszę leśnej nocy. Stwór wlepił wzrok w bezużyteczny kikut i leżącą przed nim na mchu zakończoną ostrzami dłoń. Potem, ciężko dysząc, rzucił się na Jakuba i ocalałą ręką wymierzył wprost w niego trzy stalowe igły, śmiercionośne sztylety. Jakubowi zdało się, że w ciele już czuje ich metal. Ułamek sekundy wcześniej zdążył jednak wbić w pierś Krawcowi nóż aż po rękojeść.

Ten zachrypiał i przycisnął palce do koszuli. Kolana się pod nim ugięły.

Jakub, potykając się, podszedł do najbliższego drzewa. Próbował złapać oddech. Krawiec tymczasem tarzał się po wilgotnym mchu. Zarzęził i wszystko ucichło. Jakub nie wypuścił jednak z ręki noża, mimo że puste oczy w brudnej twarzy martwo spoglądały w niebo. Nie był pewien, czy coś takiego jak śmierć mogło dosięgnąć Krawca.

Lisica drżała, jakby uciekła przed stadem myśliwskich psów. Jakub padł obok niej na ziemię, wpatrując się w nieruchome ciało potwora. Nie był pewien, jak długo tak siedział. Skóra go piekła, jakby się tarzał po tłuczonym szkle. Ramię zdrętwiało z bólu, a przed oczami ostrza nadal tańczyły swój morderczy taniec.

– Jakubie! – Głos Lisicy dochodził z daleka. – Wstań! Przy domu jest bezpieczniej!

Z trudem się podniósł.

Krawiec wciąż się nie ruszał.

Droga powrotna wydawała się bardzo długa i gdy wreszcie za drzewami pojawiła się chata czarownicy, Jakub ujrzał czekającą za płotem Klarę.

– O Boże – wyszeptała tylko, zobaczywszy krew na jego koszuli.

Przyniosła wody ze studni i obmyła mu rany. Jakub skulił się, gdy dotknęła barku.

– Rana jest bardzo głęboka – powiedziała. Lisica usiadła obok niej. – Chyba byłoby lepiej, żeby trochę mocniej krwawiła.

– W torbie przy siodle mam jodynę i jakieś opatrunki – oznajmił Jakub. – Poczuł ulgę na myśl, że Klara jest przyzwyczajona do widoku krwi. – Co z Willem? Śpi?

– Tak.

Kamień nie zniknął. Nie musiała tego mówić.

Po jej twarzy widać było, że chciałaby usłyszeć, co się stało w lesie. On jednak wolał sobie tego nie przypominać.

Przyniosła jodynę i kapnęła kilka kropli na ranę. W oczach nadal miała niepokój.

– W czym się tarzasz, kiedy się skaleczysz, Lisico? – spytała.

Lisica pokazała jej kilka rodzajów ziół w ogrodzie czarownicy. Klara je pokruszyła i przyłożyła do rany – pachniały słodko i gorzko zarazem.

– Jak urodzona czarownica – powiedział Jakub. – Myślałem, że Will poznał cię w szpitalu.

Uśmiechnęła się. Teraz wyglądała jeszcze młodziej.

– W naszym świecie czarownice pracują w szpitalach. Zapomniałeś?

Naciągając mu koszulę na opatrzony bark, dostrzegła blizny na jego plecach.

– Jak to się stało? – spytała. – To musiały być straszliwe rany!

Lisica rzuciła Jakubowi znaczące spojrzenie, ale on wzruszył tylko ramionami, dalej zapinając guziki.

– Przeżyłem.

Klara przyglądała mu się w zamyśleniu.

– Dziękuję – powiedziała. – Cokolwiek tam robiłeś. Tak się cieszę, że znowu jesteś z nami.

10
SIERŚĆ I SKÓRA

Jakub zbyt dużo wiedział o chatkach z piernika,
żeby spokojnie spać pod ich słodkim dachem.
Z torby wyjął cynowy talerz, usiadł przy studni
i polerował go rękawem tak długo, aż pojawiły się
na nim chleb i ser. Nie było to pięciodaniowe me-
nu, jak na samonakrywającym się stoliczku, który
przyniósł cesarzowej, za to talerz łatwo mieścił się
do torby.

Rudy księżyc nadawał nocy rdzawy kolor. Do
świtu pozostało jeszcze parę godzin, Jakub jednak
nie miał odwagi sprawdzić, czy kamień w ciele Willa zniknął. Lisica przycupnęła obok, wylizując sobie

futro. Krawiec wymierzył jej kopniaka, drasnął ją też parę razy, lecz czuła się dobrze. Ludzką skórę o wiele łatwiej zranić niż porośniętą futrem. Albo skórę goyla.

– Też powinieneś iść spać – odezwała się.

– Nie zasnę.

Bolał go bark. Wydawało mu się, że czuje, jak moc czarownicy mierzy się z siłą zaklęcia Czarnej Nimfy.

– Co zrobisz, jeżeli jagody pomogą? Odprowadzisz ich z powrotem?

Lisica starała się, żeby to zabrzmiało zwyczajnie, ale Jakub wyczuł w jej głosie pytanie, którego nie zadała. Do znudzenia mógł powtarzać Lisicy, że jej świat mu się podoba. Ona jednak nie przestawała się obawiać, że któregoś dnia wejdzie na wieżę i już nigdy nie wróci.

– Z pewnością – odpowiedział. – I będą żyli długo i szczęśliwie.

– A my? – Lisica przytuliła się do niego, gdy zaczął drżeć od chłodu nocy. – Zbliża się zima. Moglibyśmy pójść na południe, do Grenadii lub Lombardii, szukać klepsydry.

Klepsydry, która potrafiła zatrzymać czas. Jeszcze kilka tygodni temu nie myślał o niczym innym. Gadające lustro. Szklany pantofelek. Kołowrotek, który prządł złotą nić… Zawsze było coś, czego można tu szukać. To pomagało zapomnieć, że kogoś, kogo naprawdę chciał znaleźć, szukał daremnie.

Jakub wziął z talerza kawałek chleba i podał go Lisicy.

– Kiedy ostatni raz się przemieniłaś? – spytał, gdy łapczywie chwyciła chleb zębami.

Chciała uciec, lecz ją przytrzymał.

– Lisico!

Ugryzła go w rękę, lecz w końcu cień lisiej postaci obok studni zaczął rosnąć i klęcząca obok Jakuba dziewczyna odepchnęła go mocnymi dłońmi.

Lisica. Włosy miała rude jak lisia sierść, którą lubiła znacznie bardziej niż ludzkie ciało. Opadały jej na plecy. Były tak długie i gęste, że otulały ją jak futro. Sukienka okrywająca jej piegowatą skórę w świetle księżyca również lśniła jak sierść. Uszyto ją z materii przypominającej jedwabisty lisi włos.

W ciągu ostatnich miesięcy wydoroślała. Tak szybko, jak ze szczenięcia wyrasta dorosły lis. Jakub nadal miał przed oczami dziesięcioletnią dziewczynkę klęczącą u podnóża wieży, zalaną łzami, ponieważ w świecie, z którego pochodził, przebywał dłużej, niż obiecał. Lisica towarzyszyła Jakubowi prawie od roku. W tym czasie ani razu nie widział jej w ludzkiej postaci. Przypominał jej, że jeżeli zbyt długo będzie nosiła lisią skórę, może już nigdy nie przemienić się w dziewczynę. Był pewien, że gdyby musiała wybierać, wolałaby pozostać w ciele zwierzęcia. Gdy miała siedem lat, spod kijów swoich dwóch starszych braci uratowała ranną lisicę. Następnego dnia na łóżku znalazła futrzaną sukienkę. Kiedy ją włożyła, przybrała postać, która z czasem stała się jej prawdziwym „ja". Bała się, że któregoś

dnia ktoś mógłby ukraść jej sukienkę i już nigdy nie zdoła-
łaby przemienić się w lisa.

Jakub oparł się plecami o cembrowinę studni i przy-
mknął oczy.

„Wszystko będzie dobrze, Jakubie".

Noc nie chciała się skończyć. Poczuł, jak Lisica kładzie
mu głowę na ramieniu, i wreszcie zasnął. Obok niego spała dziewczyna, która odrzucała własne ciało. A jego brat
musiał walczyć o swoje. Jakub spał niespokojnie i śniły mu
się kamienie. Chanute, mały gazeciarz na rynku, matka
Jakuba, ojciec – wszyscy zamienili się w posągi otaczające
martwego Krawca.

– Jakubie! Obudź się!

Lisica znowu miała rude futro. Pierwsze promienie świtu przedzierały się przez gałęzie jodeł. Bark bolał go tak
bardzo, że ledwie zdołał się podnieść.

„Wszystko będzie dobrze, Jakubie. Chanute zna ten
świat jak nikt inny. Pamiętasz, jak uwolnił cię od złego zaklęcia czarownicy? Byłeś już na wpół martwy. A ugryzienie złośliwego skrzata? Albo recepta na jad wodnika…".

Ruszył w stronę chaty z piernika, a serce z każdym krokiem biło mu coraz szybciej.

Gdy wszedł do środka, od słodkiego zapachu aż zaparło mu dech. Może dlatego Will i Klara tak mocno spa-
li. Klara objęła Willa ramieniem. Twarz jego brata była
tak spokojna, jakby spał w książęcym łożu, a nie w łóżku

czarownicy pożerającej dzieci. Kamień przenikał jego lewy policzek, jakby się rozlał pod skórą. Paznokcie lewej dłoni Willa były prawie tak czarne jak szpony, które wszczepiły mu w szyję kamienne ciało.

Jak głośno może bić serce. Aż trudno oddychać.

„Wszystko będzie dobrze".

Jakub stał, wpatrując się w kamień. Nagle jego brat się poruszył. Wyraz oczu Jakuba powiedział mu wszystko. Dotknął szyi i przeciągnął po niej palcami aż do policzka.

„Rusz głową, Jakubie!".

Nie był jednak zdolny do myślenia, widząc lęk, który pojawił się w oczach brata.

Nie obudzili Klary. Will powlókł się za Jakubem na dwór jak lunatyk w szponach snu. Lisica usunęła się na bok. Jeden rzut oka na Jakuba powiedział jej wszystko.

„Przegrali".

Will tak właśnie wyglądał. Jak człowiek przegrany. Przesunął dłonią po twarzy, a Jakub po raz pierwszy zamiast zaufania, które brat tak łatwo okazywał, dostrzegł wszystko, o co sam siebie obwiniał.

„Gdybyś lepiej uważał, Jakubie. Gdybyś nie pojechał z nim tak daleko na wschód. Gdybyś…".

Will podszedł do okna, za którym stał piec Baby-Jagi, i wpatrywał się w swoje odbicie w szybie. Jakub zaś patrzył na poczerniałe od sadzy pajęczyny wiszące pod białym cukrowym dachem. Przypominały mu inne sieci, równie ciemne, rozpięte po to, by łowić w nie noc.

Jakimże był głupcem! Czego szukał u czarownic? To przecież była klątwa nimfy. Jednej z nich!

Lisica patrzyła na niego z niepokojem.

– Nie! – szczeknęła.

Zdarzało się, że wiedziała wcześniej, o czym Jakub pomyśli.

– Będzie umiała mu pomóc! W końcu jest jej siostrą.

– Nie możesz tam wrócić! Nigdy!

Will się obejrzał.

– Wrócić? Do kogo?

Jakub nie odpowiedział. Sięgnął po medalion pod koszulą. Jego palce pamiętały, jak chował w nim płatek kwiatu. Tak samo jak serce pamiętało o tej, przed którą ten płatek miał go chronić.

– Idź obudzić Klarę – poprosił Willa. – Ruszamy. Wszystko będzie dobrze.

Mieli przed sobą długą drogę. Cztery dni albo więcej. Musieli być szybsi niż kamień.

Lisica nie spuszczała z niego wzroku.

„Nie, Jakubie. Nie!" – błagały jej oczy.

To oczywiste, że pamiętała. Co najmniej tak dobrze jak on.

„Strach. Gniew. Stracony czas… To musiały być straszliwe rany".

Tylko to mu jednak pozostało, jeżeli nadal chciał mieć brata.

11
HENTCAU

Goylowi, którego Hentcau spotkał w opusz-czonej stacji dyliżansów, rosło malachitowe ciało. Ciemna zieleń pokryła mu już pół twarzy. Hentcau puścił go wolno jak wszystkich, których spotykali. Udzielał im tylko rady, by poszukali schronienia w najbliższym obozie goylów, zanim zginą z rąk ludzi. Nowy na razie nie miał złotych oczu. Pozostał w nich ślad czasów, gdy jego skóra była miękka. Odjechał, jakby gdzieś jeszcze było miejsce, do którego mógł wrócić. Hentcau wzdrygnął się na myśl, że nimfa któregoś dnia mogłaby jego jaspisowe ciało zamienić w ludzkie.

On i jego żołnierze znaleźli malachit, hematyt, jaspis, nawet kamień o barwie skóry ich króla. Nie spotkali jednak najważniejszego.

Nefrytu.

Stare kobiety nosiły go na szyjach, wierząc, że przynosi szczęście, i potajemnie klękały przed wykonanymi z niego bożkami. Matki wszywały go swoim dzieciom w ubranka, żeby niczego się nie bały i żeby kamień je chronił. Nikt jednak nie spotkał goyla o ciele z nefrytu.

Jak długo Czarna Nimfa każe go szukać? Jak długo będzie się ośmieszał przed żołnierzami, królem i samym sobą? A jeżeli tylko wymyśliła swój sen, żeby rozdzielić go z Kamieniem? Wyruszył na poszukiwanie, wierny i posłuszny jak pies.

Hentcau spoglądał na ginącą wśród drzew pustą drogę. Żołnierze byli coraz bardziej zaniepokojeni. Goyle unikali Czarnego Lasu podobnie jak ludzie. Nimfa o tym wiedziała. Bawiła się. Otóż to. Zwyczajna zabawa, a on grał rolę jej psa.

Dokładnie w chwili, gdy Hentcau miał wydać rozkaz, by dosiadano koni, na jego piersi usiadła ćma. Przywarła do miejsca, gdzie pod szarym mundurem biło jego serce. W tej samej chwili Hentcau ujrzał człowieka-goyla tak wyraźnie, jak nimfa widziała go w swoich snach.

Nefryt przeniknął jego ludzkie ciało, zgodnie z przepowiednią.

To niemożliwe.

I wtedy z głębin narodził się król, a w chwili
wielkiego niebezpieczeństwa pojawił się goyl
z nefrytu, narodzony ze szkła i srebra, i uczynił
go niepokonanym.

Bajki opowiadane przez niańki. Hentcau, będąc dzieckiem, uwielbiał ich słuchać, bo nadawały światu sens i dobrze się kończyły. Świat rozpadł się na dolny i górny. W górnym rządzili bogowie o miękkich ciałach. Hentcau jednak ranił ich i nauczył się, że nie byli bogami. Wiedział już też, że świat nie miał sensu i nic w nim dobrze się nie kończyło.

Niemniej ten goyl naprawdę istniał. Hentcau widział go tak wyraźnie, że mógł wyciągnąć ku niemu dłoń i dotknąć zielonego kamienia, powoli wrastającego mu w policzek.

Nefrytowy goyl. Powołany do życia złym zaklęciem nimfy.

Tak to sobie zaplanowała? Tylko po to rozsiała kamień? Żeby zebrać ten jeden plon?

„Czy to twoje zmartwienie, Hentcau? Po prostu go znajdź!".

Ćma ponownie rozpostarła skrzydełka, a on ujrzał pola, na których jeszcze kilka tygodni temu walczył. Sięgały wschodniej ściany lasu. A zatem szukał po złej stronie.

Hentcau zaklął cicho i zabił ćmę.

Żołnierze spojrzeli na niego ze zdziwieniem, gdy wydał rozkaz ponownego marszu na wschód. Poczuli też ulgę, że nie prowadził ich głębiej w las. Hentcau strzepnął z munduru rozgniecioną ćmę i dosiadł konia. Żaden z żołnierzy nie dostrzegł owada. Wszyscy będą mogli zaświadczyć, że znalazł goyla bez pomocy nimfy. Podobnie jak wtedy, gdy wszystkim powiedział, że Kamien wygrał wojnę sam, a nie za sprawą zaklęcia jego nieśmiertelnej ukochanej.

Nefryt.

Jej sen był prawdą.

Albo zamieniła go w prawdę.

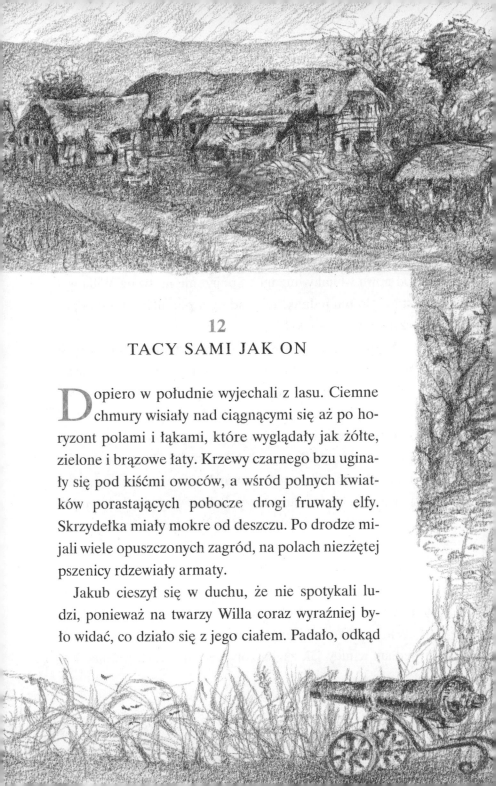

12
TACY SAMI JAK ON

Dopiero w południe wyjechali z lasu. Ciemne chmury wisiały nad ciągnącymi się aż po horyzont polami i łąkami, które wyglądały jak żółte, zielone i brązowe łaty. Krzewy czarnego bzu uginały się pod kiśćmi owoców, a wśród polnych kwiatków porastających pobocze drogi fruwały elfy. Skrzydełka miały mokre od deszczu. Po drodze mijali wiele opuszczonych zagród, na polach niezżętej pszenicy rdzewiały armaty.

Jakub cieszył się w duchu, że nie spotykali ludzi, ponieważ na twarzy Willa coraz wyraźniej było widać, co działo się z jego ciałem. Padało, odkąd wynurzyli się z lasu, i zielony kamień na twarzy brata lśnił jak garncarskie szkliwo.

Jakub jeszcze nie powiedział Willowi, dokąd ich prowadzi, i był wdzięczny bratu, że o to nie pytał. Wystarczyło, że Lisica zdawała sobie sprawę, iż zmierzali do jedynego miejsca na świecie, do którego poprzysiągł nigdy nie wracać.

Deszcz lał jak z cebra i Lisicę nawet futro przestało chronić. Jakuba ramię bolało tak bardzo, jakby Krawiec od nowa wbijał w nie igły. Spojrzenie na twarz Willa wystarczyło mu jednak, żeby od razu porzucił myśl o odpoczynku. Czas uciekał.

Może to ból sprawił, że stracił czujność. Nie zwrócił uwagi na opuszczoną zagrodę na skraju drogi. Lisica zwietrzyła ich, gdy było już za późno. Ośmiu mężczyzn, wynędzniałych, lecz uzbrojonych. Niespodziewanie wyszli z rozwalającej się stodoły i zanim Jakub zdołał wyciągnąć pistolet, skierowali na nich lufy strzelb. Dwaj z nich mieli na sobie mundury armii cesarskiej, trzeci – szarą kurtkę goylów. Rabusie i dezerterzy. Pokłosie wojny. Jeden u pasa powiesił trofea, jakimi szczycili się też żołnierze cesarzowej: palce ich kamiennych wrogów, we wszystkich kolorach, na jakie tylko natrafili.

Przez chwilę Jakub miał nadzieję, że nie zauważą kamienia na twarzy Willa, ponieważ dla ochrony przed deszczem głęboko naciągnął on na twarz kaptur. Jeden z nich jednak, chudy jak zagłodzony szczur, przytrzymując konia Willa, dostrzegł zmiany na jego dłoni i zdarł mu z głowy kaptur.

Klara próbowała go osłonić, lecz napastnik w szarej kurtce brutalnie ją odepchnął, a Will nagle stał się kimś obcym. Jakub po raz pierwszy zobaczył na twarzy brata wyraźną chęć walki. Will próbował się wyrwać, ale „szczur" uderzył go w twarz.

Gdy Jakub sięgnął po rewolwer, tamten przystawił mu lufę do piersi.

Był to gruby jegomość, w lewej dłoni miał tylko trzy palce, a do podartej kurtki poprzyczepiał sobie kamienie półszlachetne, jakie oficerowie goylów nosili na kołnierzach dla oznaczenia stopnia wojskowego. Na polach bitwy, na których żywi pozostawiali zabitych, można było zebrać bogate łupy.

– Dlaczego go nie zastrzeliłeś? – spytał, przeszukując Jakubowi kieszenie. – Nie wiesz? Odkąd zaczęły się rokowania, już nie dają nagrody za takich jak on.

Wyciągnął Jakubowi z kieszeni chustkę do nosa, ale na szczęście z pogardą wepchnął ją z powrotem, zanim złoty talar wypadł na jego kostropatą dłoń. Lisica chyłkiem pomknęła do stodoły. Jakub czuł na sobie błagalny wzrok Klary. Myślała, że stanie do walki przeciwko ośmiu napastnikom?

Trójpalczasty wysypał na dłoń zawartość sakiewki Jakuba i mruknął z rozczarowaniem, gdy znalazł tylko kilka miedziaków. Reszta nadal wpatrywała się w Willa. Mieli ochotę go zabić. Dla rozrywki. I przyczepić sobie jego palec do pasa.

„Zrób coś, Jakubie! Ale co? Mów coś. Zyskaj na czasie. Czekaj na cud".

– Wiodę go do kogoś, kto zwróci mu dawną postać.

Krople deszczu spływały mu po twarzy, a chudy „szczur" wciskał Willowi w bok lufę strzelby.

„Mów dalej, Jakubie".

– To mój brat! Pozwólcie nam odejść, a za tydzień wrócę z workiem pieniędzy.

– Jasne.

Trójpalczasty kiwnął głową w stronę pozostałych.

– Zaprowadźcie ich za stodołę. Temu strzelcie w głowę. Podoba mi się jego przyodziewek.

Jakub odepchnął dwóch napastników, którzy wyciągnęli po niego ręce, ale trzeci przyłożył mu nóż do gardła. Miał na sobie chłopski strój. Nie wszyscy zawsze byli rozbójnikami.

– O czym ty mówisz? – syknął. – Nic nie przywróci im dawnej postaci… Zastrzeliłem własnego syna, gdy na czole zaczął mu rosnąć chalcedon!

Ostrze noża tak mocno uciskało szyję Jakuba, że z trudem oddychał.

– To zaklęcie Czarnej Nimfy! – wyrzucił z siebie. – Prowadzę go do jej siostry. Zdejmie klątwę.

Ten ich wzrok… Nimfa. Jedno słowo. Pięć liter, w których zawarta była magia i strach tego świata.

Nacisk noża zelżał, twarz mężczyzny nadal jednak wykrzywiała wściekłość i ból. Jakuba korciło, by spytać o wiek jego syna.

– Nikt nie odwiedza nimf. – Chłopak, który wymówił te słowa, miał najwyżej piętnaście lat. – Złapią cię.

– Znam sposób. – „Mów, Jakubie". – Już raz u nich byłem.

– To jakim cudem żyjesz? – Nóż rozciął mu skórę na szyi. – A może zwariowałeś jak ci, którzy wracając, utopili się w najbliższym stawie?

Jakub czuł na sobie spojrzenie Willa. Myślał, że jego starszy brat opowiada bajki? Jak dawniej, gdy byli dziećmi, a on nie mógł zasnąć?

– Ona zdejmie klątwę – powtórzył zachrypniętym głosem Jakub, nadal czując nacisk noża.

„Niestety, przedtem nas zabijecie. I to nie przywróci życia twojemu synowi".

„Szczur" przycisnął Willowi lufę strzelby do pokrytego kamieniem policzka.

– Idzie do nimf! Nie widzisz, Stanis, że robi z ciebie głupka? Zabijmy ich wreszcie.

Pchnął Willa w stronę stodoły, dwóch jego kompanów chwyciło Klarę.

„Teraz, Jakubie! Co masz do stracenia?".

Trójpalczasty nagle się odwrócił i przez podwórze spojrzał na południe. W szumie deszczu rozległo się parskanie koni.

Jeźdźcy.

Nadciągali przez leżące odłogiem pola, na koniach szarych jak ich mundury. Wyraz twarzy Willa zdradził, kim byli, zanim jeszcze „szczur" zdążył wrzasnąć.

– Goyle!

Chłop skierował broń na Willa, jakby tylko on mógł ich tu ściągnąć. Jakub jednak zastrzelił go, zanim tamten zdążył nacisnąć spust. Trzech spośród goyli, w pełnym galopie, dobyło szabel. Nadal najchętniej używali ich w walce, mimo że to za pomocą swoich strzelb wygrywali bitwy. Klara z przerażeniem patrzyła na twarze z kamienia – i na Jakuba.

„Tak, to właśnie się z nim stanie. Nadal go kochasz?".

Rabusie ukryli się za przewróconym wozem. Zapomnieli o pojmanych. Jakub popchnął Willa i Klarę w stronę koni.

– Lisico! – krzyknął, chwytając klacz za wodze.

Gdzie ona się podziała?

Dwaj goyle spadli z koni, pozostali ukryli się za stodołą. Trójpalczasty był dobrym strzelcem.

Klara już siedziała na koniu, Will jednak nie ruszał się z miejsca i patrzył w stronę przybyszów.

– Wsiadaj, Will! – krzyknął Jakub, sam wskakując na siodło.

Jego brat ani drgnął.

Jakub chciał podjechać do niego, lecz w tym momencie ze stodoły wybiegła Lisica. Kulała i Jakub dostrzegł chudego „szczura" unoszącego broń. Powalił go strzałem, ale gdy ściągnął wodze i wychylił się z siodła, żeby podnieść Lisicę, poczuł silne uderzenie kolby w zraniony bark. Chłopak. Stał tuż obok. Pustą strzelbę trzymał za lufę i ponownie się nią zamierzył, jakby miał nadzieję w ten sposób pokonać własny strach.

Jakubowi z bólu pociemniało w oczach. Zdołał jeszcze wyciągnąć pistolet, lecz goyle go ubiegli. Wynurzyli się zza stodoły i jedna z ich kul trafiła chłopca w plecy.

Jakub chwycił Lisicę i posadził obok siebie w siodle. Will też już siedział na koniu, nadal jednak patrzył na tamtych.

– Will! – krzyknął Jakub. – Ruszaj, do diabła!

Brat nawet na niego nie spojrzał. Jakby zapomniał o nim i o Klarze.

– Will! – zawołała z rozpaczą, patrząc na walczących.

Will oprzytomniał dopiero wtedy, gdy Jakub chwycił jego konia za wodze.

– Jedź! – powiedział ostro. – Jedź i nie oglądaj się.

Dopiero wtedy jego brat zawrócił konia.

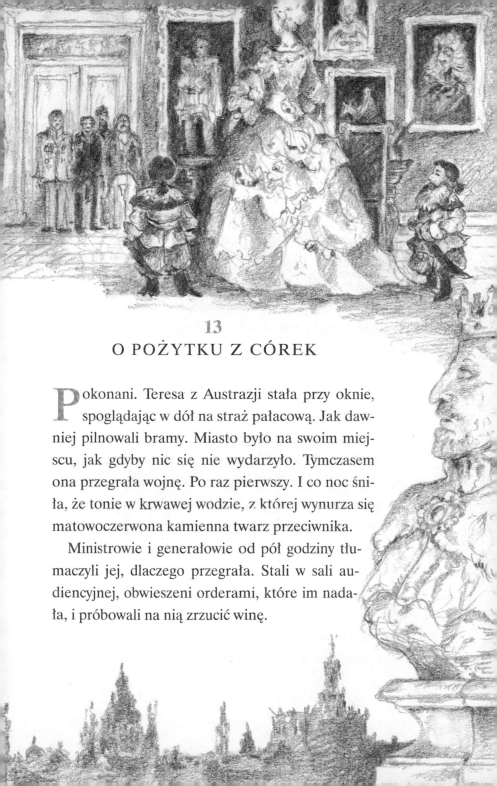

13

O POŻYTKU Z CÓREK

Pokonani. Teresa z Austrazji stała przy oknie, spoglądając w dół na straż pałacową. Jak dawniej pilnowali bramy. Miasto było na swoim miejscu, jak gdyby nic się nie wydarzyło. Tymczasem ona przegrała wojnę. Po raz pierwszy. I co noc śniła, że tonie w krwawej wodzie, z której wynurza się matowoczerwona kamienna twarz przeciwnika.

Ministrowie i generałowie od pół godziny tłumaczyli jej, dlaczego przegrała. Stali w sali audiencyjnej, obwieszeni orderami, które im nadała, i próbowali na nią zrzucić winę.

„Strzelby goylów są lepsze, szybciej strzelają".

Tę wojnę wygrał jednak król o twarzy z karneolu, ponieważ lepiej znał się na strategii niż oni wszyscy razem wzięci. Miał też ukochaną, która po raz pierwszy od trzystu lat wykorzystała czarnoksięską moc nimf dla dobra któregoś z królów.

Przed bramą stanął powóz. Wysiedli z niego trzej goyle. Wyglądali na cywilizowanych. Nawet nie mieli na sobie mundurów. Z ogromną satysfakcją kazałaby strażom zawlec ich na dziedziniec i zabić, jak by to zrobił jeszcze jej dziadek. Czasy się jednak zmieniły. Teraz zabijać będą goyle. Usiądą przy stole z jej doradcami, będą pić herbatę ze srebrnych filiżanek i negocjować warunki kapitulacji.

Strażnicy otworzyli bramy. Gdy goyle przemierzali dziedziniec, cesarzowa odwróciła się plecami do okna.

Jej bezużyteczni, obwieszeni medalami generałowie nadal coś mówili, a z obitych złotym jedwabiem ścian spoglądali przodkowie. Tuż przy drzwiach wisiał portret ojca. Był mężczyzną szczupłym i wysokim. Stale toczył wojnę ze swym królewskim bratem w Lotaryngii. Ona też od lat zmagała się z jego synem. Obok wisiał portret jej dziadka. On również miał romans z nimfą i z tęsknoty za nią w końcu utopił się w porośniętym wodnymi liliami cesarskim stawie. Wcześniej kazał się sportretować na jednorożcu. Za model posłużył jego ulubiony koń, któremu do czoła przymocowano cios narwala. Wyglądał śmiesznie i Teresie znacznie bardziej podobał się kolejny portret. Ukazywał pradziadka cesarzowej i jego starszego brata, którego wydziedziczono, ponieważ zbyt poważnie potraktował alchemię. Malarz w niezwykły sposób przedstawił jego ślepe oczy. Ojciec Teresy często się oburzał, gdy będąc dzieckiem, przystawiała krzesło, żeby bliżej przyjrzeć się pokrytej bliznami skórze i martwym źrenicom. Ponoć oślepł w wyniku eksperymentu, próbując przemienić w złoto własne serce. Mimo to spośród wszystkich jej przodków tylko on się uśmiechał, co sprawiło, że w dzieciństwie głęboko wierzyła, iż eksperyment się powiódł i w piersi istotnie biło mu złote serce.

Mężczyźni. Normalni lub nie. Sami mężczyźni.

Od wieków tylko oni zasiadali na tronie Austrazji. Zmiana nastąpiła wyłącznie dlatego, że jej ojciec spłodził cztery córki i ani jednego syna.

Ona też nie miała syna. Miała tylko jedną córkę. Ale nie zamierzała jej przehandlować, jak ojciec uczynił to z jej młodszymi siostrami. Jedną wydał za Koślawego Króla z ponurego zamku w Lotaryngii, drugą za jej opętanego polowaniem kuzyna z Albionu, a najmłodszą sprzedał wschodniemu księciu, który wcześniej już pogrzebał dwie żony.

Nie. Swoją córkę chciała posadzić na tutejszym tronie. Oglądać jej portret ujęty w złoconą ramę, wśród wizerunków tych wszystkich mężczyzn. Amalia z Austrazji, córka Teresy marzącej o tym, by kiedyś nazywano ją Wielką. Nie było jednak innego wyjścia, w przeciwnym razie obie utonęłyby w krwawej wodzie. Ona sama. Jej córka. Jej lud. Jej tron. Miasto i cały kraj wraz z durniami, którzy nadal rozprawiali o tym, dlaczego tej wojny nie można było wygrać. Ojciec Teresy skazałby ich na śmierć, ale co by to dało? Ich następcy nie byliby lepsi. Ich krew nie zwróciłaby jej poległych żołnierzy ani utraconych na rzecz goylów prowincji, ani dumy, w ciągu ostatnich miesięcy unurzanej w błocie czterech bitewnych pól.

– Dość.

Wystarczyło jedno słowo i w sali, w której jej dziadek podpisywał wyroki śmierci, zapadła cisza. Władza. Uderza do głowy jak mocne wino.

Wtulili w ramiona swoje puste głowy.

„Spójrz tylko, Tereso. Nie sprawiłoby ci satysfakcji, gdybyś kazała je ściąć?".

Cesarzowa poprawiła opalowy diadem, który nosiła już jej prababka, i skinieniem dłoni przywołała jednego z karłów.

Tylko oni w kraju nadal nosili brody. Służący, gwardziści przyboczni, powiernicy. Od pokoleń w służbie rodziny, przyodziani w niezmienny od dwustu lat strój. Koronkowe kołnierze na tle czarnego aksamitu i śmieszne bufiaste spodnie. W złym guście i od dawna niemodne, lecz z karłami na temat tradycji trudno się spierać, podobnie jak z księżmi na temat religii.

– Pisz! – rozkazała.

Karzeł wspiął się na krzesło. Musiał uklęknąć na tapicerce z bladozłotego materiału. Auberon. Faworyt cesarzowej i najmądrzejszy spośród jej karłów. Dłoń, którą sięgnął po obsadkę, była mała jak u dziecka, lecz potrafiłaby rozerwać łańcuch z łatwością, z jaką kucharz rozbija jajko.

– „My, Teresa z Austrazji… – zaczęła dyktować. Jej przodkowie z dezaprobatą spoglądali na nią ze ścian, cóż jednak wiedzieli o królach urodzonych we wnętrzu ziemi, o nimfach przemieniających ludzkie ciało w kamień, żeby upodobnić je do ciała ukochanego? – Kamienowi, królowi goylów, oddajemy rękę naszej córki Amalii, pragnąc położyć kres wojnie i zawrzeć pokój między naszymi wielkimi narodami".

Cisza rozprysła się, jakby jej ważkie słowa rozbiły szklany dom, w którym przebywali. To nie ona jednak, lecz goyl zadał cios, a ona musiała oddać mu swoją córkę.

Teresa odwróciła się i odeszła, a podniesione głosy ucichły. Słychać było jedynie szelest jej sukni, gdy szła w stronę wysokich drzwi. Przeznaczone były chyba nie dla ludzi, lecz dla olbrzymów wymarłych przed sześćdziesięciu laty, dzięki staraniom jej pradziadka.

Władza. Jak wino – gdy się ją ma. Jak trucizna – gdy się ją straciło. Czuła już jej jad.

Przegrała.

14
ZAMEK ŚPIĄCEJ KRÓLEWNY

Nie otwiera oczu!

Zabrzmiała w tym troska. Znał ten głos. Lisica.

– Nie martw się. Tylko śpi.

Ten głos też znał. Klara.

„Jakubie, obudź się".

Czyjeś palce gładziły go po rozpalonym ramieniu. Otworzył oczy i ujrzał nad sobą srebrny księżyc wyłaniający się zza chmury. Wyglądał, jakby chciał się ukryć przed swoim rudym bratem bliźniakiem. Jego światło padało na ciemny zamkowy dziedziniec. W szybach wysokich okien odbijały się gwiazdy, lecz za nimi nie paliło się światło. Ani drzwi, ani zarośniętych łuków bram nie oświetlała żadna latarnia. Na dziedzińcu nie było nikogo i pokrywała go gruba warstwa mokrych liści, jakby od lat nikt ich nie zamiatał.

– Nareszcie. Myślałam, że już nigdy się nie obudzisz.

Jakub jęknął, gdy Lisica nosem szturchnęła go w bark.

– Ostrożnie, Lisico!

Klara pomogła mu usiąść. Na ramię założyła świeży opatrunek, jednak bolało bardziej niż dotychczas. Rabusie, goyle… Wraz z bólem wróciła pamięć, lecz Jakub nie wiedział, kiedy stracił przytomność.

Klara wstała.

– Rana nie wygląda dobrze. Gdybym tak miała nasze lekarstwa...

– Damy radę.

Zmartwiona Lisica wsunęła mu pysk pod ramię.

– Gdzie jesteśmy? – spytał.

– W jedynej kryjówce, którą udało mi się znaleźć. Zamek jest opuszczony. Przynajmniej przez żywych.

Lisica łapą rozgarnęła zwiędłe liście. Ukazał się but.

Jakub się rozejrzał. W wielu miejscach warstwa liści podejrzanie się unosiła, jak kołdra przykrywająca ciało.

Gdzie byli?

Próbował się chwycić muru, żeby wstać, i zaklął, cofając ręce. Kamienie były pokryte kłującymi pędami, które rosły wszędzie, okrywając zamek niczym kolczasty pancerz.

– Róże – wymamrotał i zerwał jeden z owoców rosnących na splątanych gałązkach.

– Od lat szukam tego zamku! Łóżko Śpiącej Królewny. Cesarzowa zapłaciłaby za nie majątek.

Klara z niedowierzaniem patrzyła na cichy dziedziniec.

– Ponoć każdy, kto spędzi noc w tym łóżku, znajdzie prawdziwą miłość. Najwyraźniej jednak – Jakub przesunął wzrokiem po ciemnych oknach – książę nigdy tu nie przybył.

Lub też skończył jak ptak na kolczastym krzewie. Spośród róż wystawała zmumifikowana dłoń. Jakub przysłonił ją liśćmi, zanim Klara ją dostrzegła.

Przez dziedziniec przebiegła mysz i Lisica rzuciła się za nią. Natychmiast jednak się zatrzymała, żałośnie skomląc.

– Co się stało? – zapytała Klara.

Lisica lizała sobie bok.

– Trójpalczasty mnie kopnął.

– Pokaż.

Klara pochyliła się nad nią, ostrożnie macając jedwabiste futro.

– Zmień postać, Lisico – powiedział Jakub. – Ona lepiej zna się na ludziach niż na zwierzętach.

Lisica chwilę się ociągała, lecz w końcu ustąpiła. Klara w osłupieniu patrzyła na stojącą przed nią dziewczynę. Jej sukienka wyglądała tak, jakby rudy księżyc przylgnął do jej ciała.

„Co to za świat? – mówiła twarz Klary, gdy odwróciła się do Jakuba. – Jeżeli futro zamienia się w skórę, a skóra w kamień, to co pozostaje?".

Lęk. Osłupienie. Magia. To wszystko wyrażały jej oczy. Podeszła do Lisicy, gładząc dłońmi jej ramiona, jakby chciała sprawdzić, czy nie ma już na nich lisiego futra.

– Gdzie Will? – spytał Jakub.

Klara wskazała na wieżę obok bramy.

– Jest tam od godziny. Odkąd ją zobaczył, nie wymówił ani słowa.

Oboje wiedzieli, kogo ma na myśli.

Nigdzie róże nie krzewiły się tak gęsto jak na murach owalnej wieży. Ciemna czerwień ich kwiatów w nocy wydawała się czarna, zapach zaś miały słodki i ciężki, jakby przeoczyły nadejście jesieni.

Wspinając się po krętych schodach, Jakub już przeczuwał, co zobaczy pod sklepieniem wieży. Kolczaste pędy czepiały się jego ubrania. Co chwila przystawał, by oswobodzić nogi z ciernistych pęt. W końcu jednak stanął przed wejściem do komnaty, w której pewna wróżka dwieście lat temu wręczyła królewnie swój urodzinowy prezent.

Przy wąskim łóżku, na jakim zwykle nie sypiają królewny, stał kołowrotek. Ciało śpiącej obsypane było płatkami róż. Czar sprawił, że przez te wszystkie lata się nie zestarzała, lecz jej skóra przypominała pergamin i zżółkła prawie jak suknia, którą królewna od dwustu lat miała na sobie. Naszyte perły nadal lśniły bielą, lecz zdobiąca suknię koronka zbrązowiała, tak jak rozsypane na jedwabiu płatki kwiatów.

Will stał przy jedynym oknie. Wyglądał jak książę, który jednak przybył. Usłyszawszy kroki Jakuba, gwałtownie się odwrócił. Zielony kamień już pokrył mu czoło, a błękit oczu zastąpiło złoto. Rabusie skradli im to, co mieli najcenniejszego – czas.

– Nie będą żyli długo i szczęśliwie – odezwał się Will, spoglądając na królewnę. – To też sprawiło złe zaklęcie. – Oparł się o mur. – Lepiej się czujesz?

– Tak – skłamał Jakub. – A ty?

Will nie od razu odpowiedział. Gdy wreszcie przemówił, głos miał twardy i chłodny. Jak nowa skóra.

– Twarz mam jak wypolerowany kamień. Noce są coraz jaśniejsze. Słyszałem cię też na długo wcześniej, zanim wszedłeś na schody. Czuję to już nie tylko na skórze. – Przerwał i potarł sobie skronie. – To jest również w środku, we mnie.

Will podszedł do łóżka, wpatrując się w zmumifikowane ciało.

– Zapomniałem o wszystkim. O tobie, o Klarze, o sobie samym. Jedyne, co chciałem, to być z nimi.

Jakub chciał coś powiedzieć, lecz nie znalazł słów.

– Czy tak właśnie będzie? Powiedz mi prawdę. – Will patrzył na niego. – Nie tylko będę wyglądał jak oni. Taki się również stanę, prawda?

Jakub miał już na końcu języka kłamstwa w rodzaju: „Nonsens, Will, wszystko będzie dobrze", lecz nie zdołał ich wypowiedzieć. Powstrzymało go spojrzenie brata.

– Chcesz wiedzieć, jacy oni są? – Will wyjął płatek róży z włosów królewny. – Jest w nich gniew. Wybucha jak płomień. Jest w nich też kamień. Wyczuwają go w ziemi i słyszą, jak oddycha. – Przyglądał się czarnym paznokciom u swojej dłoni. – Są ciemnością – wyrzekł cicho. – I żarem. Rudy księżyc jest ich słońcem.

Jakub zadrżał, usłyszawszy kamienny ton w głosie brata.

„Powiedz coś, Jakubie. Cokolwiek".

W ciemnej komnacie było bardzo cicho.

– Nie staniesz się taki jak oni – zaprzeczył. – Nie dopuszczę do tego.

– Jak? – Znowu to dojrzałe, gorzkie spojrzenie. – To prawda, co powiedziałeś rabusiom? Zaprowadzisz mnie do innej nimfy?

– Tak.

– Czy jest tak samo groźna jak ta, która to zrobiła? – Will dotknął pergaminowej twarzy królewny. – Spójrz przez okno. W kolczastych krzewach tkwią martwi ludzie. Myślisz, że chcę, żebyś z mojego powodu skończył jak oni?

Wzrok Willa mówił jednak: „Pomóż mi, Jakubie. Pomóż mi".

Jakub próbował odwrócić jego myśli od nieżywych.

– Nimfa, do której cię zaprowadzę, jest inna – powiedział. „Naprawdę, Jakubie?", usłyszał własne myśli, lecz nie zwracał na nie uwagi. Całą nadzieję, jaka mu pozostała, i całą wiarę, na którą czekał jego brat, włożył w uroczystą obietnicę: – Ona nam pomoże, Will! Przyrzekam ci.

Jego słowa nadal miały moc. Nadzieja na twarzy Willa pojawiała się równie łatwo jak gniew. Bracia. Starszy i młodszy. Nic się nie zmieniło.

15
MIĘKKIE CIAŁO

Pierwszy mówił trójpalczasty o twarzy rzeźnika. Ludzie tak łatwo wybierają na swoich przywódców nie tych, co trzeba. Hentcau widział jego tchórzostwo tak wyraźnie jak rozmyty błękit oczu. Mimo wszystko jeniec powiedział im kilka rzeczy, których éma nie pokazała Hentcauowi.

Nefrytowy goyl nie był sam. Towarzyszyła mu dziewczyna. Co ważniejsze jednak, najwyraźniej miał brata, a ten uparł się, żeby uwolnić go od nefrytu. Jeżeli trójpalczasty mówił prawdę, brat chciał zaprowadzić go do Czerwonej Nimfy. Niegłupia myśl. Ona, podobnie jak inne nimfy, nie cierpiała swojej siostry, ale Hentcau był przekonany, że nie da rady zdjąć złego zaklęcia. Czarna Nimfa była o wiele silniejsza niż one wszystkie razem.

Żaden goyl nie widział wyspy, na której mieszkały, ani nigdy nie postawił na niej stopy. Czarna Nimfa strzegła tajemnic sióstr, mimo że się jej wyrzekły. Wiadomo było, że wolno do nich przyjść tylko wtedy, gdy same sobie tego życzą.

– Jak chce ją znaleźć?

– Nie powiedział – wyjąkał trójpalczasty.

Hentcau skinął na jedyną żołnierkę, która była wśród nich. Bicie ludzkiego ciała nie sprawiało mu przyjemności. Mógł ich zabijać, lecz wolał nie dotykać. Nesser nie miała z tym problemu.

Wymierzyła trójpalczastemu kopniaka prosto w twarz. Hentcau posłał jej ostrzegawcze spojrzenie. Ludzie zabili jej siostrę, dlatego szybko traciła umiar. Nesser przez chwilę patrzyła na niego zuchwale, potem jednak spuściła głowę. Nienawiść przywarła do goylów jak błoto do skóry.

– Nie powiedział tego! – wyjąkał trójpalczasty. – Przysięgam.

Jego ciało było blade i miękkie jak ciało ślimaka. Hentcau odwrócił się z obrzydzeniem. Był pewien, że pojmani wyjawili im wszystko, co wiedzieli. Z drugiej strony to przez nich nefrytowy goyl im umknął.

– Zastrzelić ich! – rozkazał i wyszedł na zewnątrz.

Odgłos strzałów rozległ się dziwnie w panującej ciszy. Jakby pochodził z innego świata. Strzelby, maszyny parowe, pociągi – dla Hentcaua wszystko to nadal było nienaturalne. Po prostu się starzał. Słoneczne światło popsuło mu wzrok, a z powodu bitewnego zgiełku jego słuch tak osłabł, że Nesser, mówiąc do niego, podnosiła głos. Kamien udawał, że tego nie dostrzega. Pamiętał, że Hentcau zestarzał się u niego na służbie. Jeżeli jednak Czarna Nimfa się dowie, że nefrytowy goyl umknął mu z powodu kilku rabusiów, postara się, żeby wszyscy to zauważyli.

Hentcau nadal miał przed oczami twarz pół goyla, pół człowieka, ciało poprzerastane ich najświętszym kamieniem. To nie był on. To nie mógł być on. Był tak samo nieprawdziwy jak drewniane fetysze, które oszuści pokrywali cieniutką warstwą złota, by potem sprzedawać je starym kobietom, jakoby wykonane z litego kruszcu.

„Patrzcie, pojawił się nefrytowy goyl i uczyni króla niepokonanym. Nie tnijcie jednak mieczem zbyt głęboko, ponieważ zobaczycie ludzkie ciało".

Tak, w ten sposób nimfa po raz kolejny chciała pokazać, że jest niezbędna.

Hentcau przyglądał się zapadającej nocy. Nawet ona zamieniała się w nefryt.

„A jeżeli jest prawdziwy? Jeżeli od niego zależy los twojego króla?".

Tymczasem on pozwolił mu uciec.

Gdy tropiciel wreszcie wrócił, nawet stare oczy Hentcaua dostrzegły, że zgubił ślad.

Dawniej zabiłby go za to na miejscu, lecz przez lata nauczył się hamować płonący w nim gniew. Nadal jednak nie potrafił robić tego nawet w połowie tak dobrze jak Kamien. Jedynym śladem, jaki mu pozostał, była wzmianka o nimfach. Znowu będzie musiał schować dumę i pchnąć posłańca do Czarnej Nimfy z pytaniem o drogę. Ta perspektywa wydawała się dużo bardziej przykra niż chłód nocy.

– Poszukasz śladów! – rozkazał tropicielowi. – Gdy tylko się rozjaśni. Trzy konie i lis. To chyba nietrudne?

Zastanawiał się właśnie, kogo ma wysłać do nimfy, gdy z wahaniem podeszła do niego Nesser. Miała dopiero trzynaście lat. Goyle w tym wieku byli już dorośli, większość jednak wstępowała do armii dopiero po ukończeniu czternastego roku życia. Nesser nie władała zbyt wprawnie szablą ani nie była dobrym strzelcem, lecz te niedoskonałości z nawiązką nadrabiała odwagą. W jej wieku nie wie się, co to strach, i każdy, nawet bez kropli krwi nimfy w żyłach, jest pewny swej nieśmiertelności. Hentcau dobrze pamiętał to uczucie.

– Komendancie…

Uwielbiał ten nabożny ton w jej młodym głosie. Była najlepszym antidotum na zwątpienie w siebie, które zasiała w nim Czarna Nimfa.

– Co?

– Wiem, jak dotrzeć do nimf. Nie na wyspę... lecz do doliny, przez którą się do nich idzie.

– Czyżby?

Hentcau nie dał po sobie poznać, że kamień spadł mu z serca. Miał słabość do tej dziewczyny i dlatego był wobec niej tak surowy. Nesser, podobnie jak on, miała ciało z brązowego jaspisu, który jednak, jak u wszystkich żeńskich goylów, był poprzetykany ametyst.

– Należałam do eskorty, która na życzenie króla towarzyszyła Czarnej Nimfie w podróży. Byłam przy niej, gdy po raz ostatni pojechała konno do swojej siostry. Zostawiła nas przy wejściu do doliny, ale...

Zbyt piękne, by mogło być prawdziwe. Nie musi żebrać o pomoc i nikt się nie dowie, że nefrytowy goyl mu umknął. Hentcau zacisnął pięść, ale zachował kamienną twarz.

– Dobrze – powiedział z pozornym znudzeniem w głosie. – Przekaż tropicielowi, że od tej chwili ty nas prowadzisz. Biada ci jednak, jeżeli zabłądzisz.

– Tak się nie stanie, komendancie.

Gdy Nesser śpiesznie odchodziła, w swych błyszczących oczach miała nadzieję.

Hentcau spoglądał jednak na polną drogę, którą odjechał nefrytowy goyl. Jeden z rabusiów twierdził, że jego brat był ranny i musieli robić przerwy na odpoczynek. Hentcau przez wiele dni mógł się obejść bez snu. Na pewno ich dopadnie.

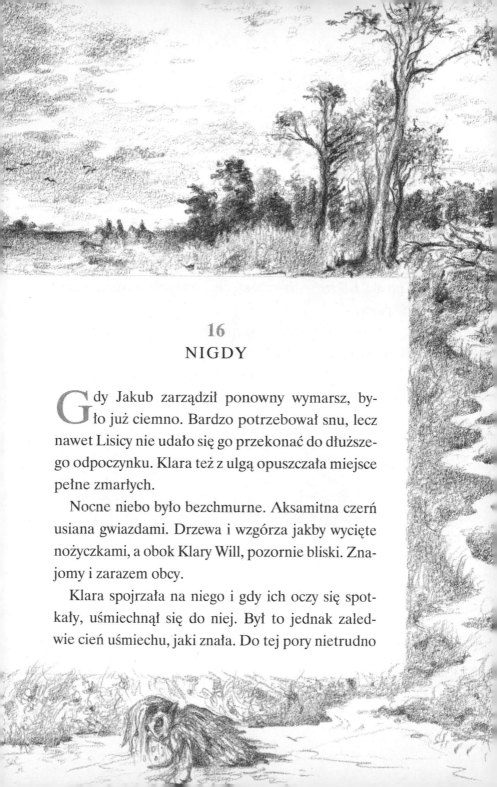

16
NIGDY

Gdy Jakub zarządził ponowny wymarsz, było już ciemno. Bardzo potrzebował snu, lecz nawet Lisicy nie udało się go przekonać do dłuższego odpoczynku. Klara też z ulgą opuszczała miejsce pełne zmarłych.

Nocne niebo było bezchmurne. Aksamitna czerń usiana gwiazdami. Drzewa i wzgórza jakby wycięte nożyczkami, a obok Klary Will, pozornie bliski. Znajomy i zarazem obcy.

Klara spojrzała na niego i gdy ich oczy się spotkały, uśmiechnął się do niej. Był to jednak zaledwie cień uśmiechu, jaki znała. Do tej pory nietrudno było wywołać u niego uśmiech. Will łatwo okazywał uczucie. I tak łatwo było go kochać. Nie chciała go stracić. Świat, który ich otaczał, szeptał jednak: „On należy do mnie". A oni wchodzili w ten świat coraz głębiej, jakby musieli dotrzeć do jego serca, by móc ocalić Willa.

„Wypuść go!".

Klara chciała krzyknąć to światu w ponurą twarz.

„Wypuść go!".

Jednak świat po drugiej stronie lustra wyciągał ręce i po nią. Klarze wydawało się, że czuje już na skórze ciemne palce.

– Czego tu szukasz? – szeptała do niej obca noc. – Jaką skórę mam ci dać? Futro? A może kamień?

– Nie – odszepnęła Klara. – Dotrę do twojego serca i oddasz mi go.

Czuła, że ma skórę o wiele za miękką. A ciemne palce sięgały jej do serca.

Bardzo się bała.

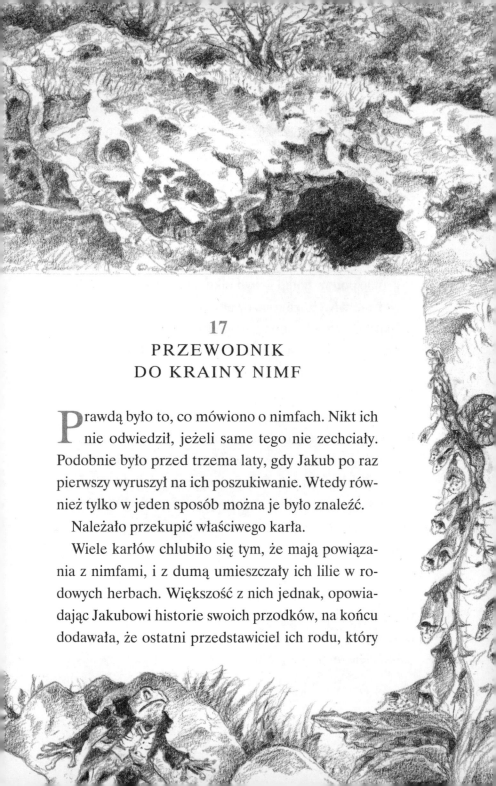

17
PRZEWODNIK
DO KRAINY NIMF

Prawdą było to, co mówiono o nimfach. Nikt ich nie odwiedził, jeżeli same tego nie zechciały. Podobnie było przed trzema laty, gdy Jakub po raz pierwszy wyruszył na ich poszukiwanie. Wtedy również tylko w jeden sposób można je było znaleźć.

Należało przekupić właściwego karła.

Wiele karłów chlubiło się tym, że mają powiązania z nimfami, i z dumą umieszczały ich lilie w rodowych herbach. Większość z nich jednak, opowiadając Jakubowi historie swoich przodków, na końcu dodawała, że ostatni przedstawiciel ich rodu, który spotkał się twarzą w twarz z nimfą, nie żył od ponad stu lat. W końcu jednak okazało się, że któryś z karłów służących na dworze cesarskim słyszał nazwisko Evenaugh Valianta.

Cesarzowa wyznaczyła wówczas górę złota jako nagrodę dla tego, kto przyniesie jej lilię ze stawu nimf. Powiadano, że ich zapach czyni z brzydkich dziewcząt prawdziwe piękności. Tymczasem książę małżonek z wielkim rozczarowaniem wypowiadał się o urodzie swojej jedynej córki. Wkrótce potem zginął w wypadku na polowaniu. Złośliwe języki mówiły, że zaaranżowała go jego żona. Ponieważ jednak cesarzowa ceniła gust małżonka znacznie bardziej niż jego samego, nagrody za lilię nie wycofała. Jakub, pracujący już bez pomocy Chanutego, wyruszył więc w drogę do Evenaugh Valianta.

Karła nietrudno było odnaleźć. Za odpowiednią liczbę złotych talarów istotnie zaprowadził Jakuba do doliny, gdzie kryła się wyspa nimf. Tyle że nie wspomniał mu o ich strażnikach i Jakub swojej wyprawy o mało nie przypłacił życiem. Valiant zaś sprzedał cesarzowej lilię, dzięki której jej córka Amalia stała się prawdziwą pięknością, a on sam zyskał godność nadwornego dostawcy.

Jakub często wyobrażał sobie, jak wyrównuje rachunki z karłem, jednak po powrocie znad jeziora nimf nie w głowie była mu zemsta. Cesarskie złoto zarobił dzięki kolejnemu zadaniu i w końcu postać Evenaugh Valianta całkowicie wyparł z pamięci. Podobnie jak obraz wyspy, na której był tak szczęśliwy, że prawie o wszystkim zapomniał.

„I czego cię to nauczyło, Jakubie Reckless? – myślał, gdy wśród pól i żywopłotów pojawiły się pierwsze domki karłów. – Że zemsta to nie najlepszy pomysł".

Mimo to serce zabiło mu szybciej na myśl, że znowu ujrzy karła.

Kaptur nie mógł już zasłonić kamienia na twarzy Willa i Jakub postanowił zostawić go z Klarą i Lisicą, gdy sam wyruszy do Terpevas, co w języku mieszkańców znaczyło właśnie „miasto karłów". Lisica w lesie znalazła grotę, w której chronili się owczarze. Will wszedł tam razem z Jakubem. Może jak najszybciej chciał się skryć przed światłem słonecznym? Resztka dawnej skóry pozostała mu tylko na prawym policzku. Jakubowi z każdym dniem trudniej było na niego patrzeć. Najgorsze były oczy Willa. Miały złoty kolor i Jakub coraz bardziej się bał, że przegrał walkę z czasem. Zdarzało się, że Will patrzył na niego tak, jak gdyby go nie poznawał. W złotych oczach brata znikła cała ich wspólna przeszłość.

Klara nie towarzyszyła im do groty. Gdy Jakub z Lisicą wrócili do miejsca, gdzie czekały konie, stała wśród drzew, bardzo osamotniona. Nadal przebrana w męski strój, podobna była do chłopców, których pełno tu było na ulicach. Pozbawieni rodziców szukali pracy. Jej włosy miały barwę jesiennej trawy i coraz mniej przypominała przybysza z tamtej strony lustra. Wspomnienie ulic i domów, wśród których oboje wyrośli, światła, hałasu i dziewczyny, którą tam była, wyblakło i oddaliło się. Teraźniejszość przemieniła się w przeszłość, a przyszłość była nieznana.

– Willowi zostało niewiele czasu?

To nie było pytanie. Przyjmowała rzeczy, jakimi są, mimo że się bała. Jakubowi to się w niej podobało.

– Potrzebujesz lekarza – powiedziała, gdy wsiadając na konia, skrzywił się z bólu.

Żadne kwiaty, liście i korzenie wskazane przez Lisicę nie poprawiły stanu jego ramienia. A teraz jeszcze dostał gorączki.

– Ona ma rację – odezwała się Lisica. – Idź do jednego z lekarzy karłów. Podobno są lepsi niż nadworni lekarze cesarzowej.

– Tak, ale tylko dla karłów. Jeżeli przyjmują ludzi, chcą jak najszybciej oskubać ich z pieniędzy i wpędzić do grobu. Karły nie mają o nas dobrego mniemania – dodał, widząc pytanie w oczach Klary. – To dotyczy również lekarzy służących cesarzowej. Nic nie zyskuje im większego uznania wśród swoich niż oszukanie człowieka.

– Ale teraz jednemu z karłów chcesz zaufać. – Klara przyglądała mu się niespokojnie.

– Gdzie tam! Nie ufa mu! – Lisica warknęła pogardliwie. – Karzeł, do którego się wybiera, jest jeszcze mniej godzien zaufania niż cała reszta! – Łasiła się do Klary, jakby szukała sprzymierzeńca. – Spytaj go, skąd ma blizny na plecach – dodała.

– To stara historia – odrzekł.

– Co z tego?

Gniew nie zagłuszył lęku w głosie Lisicy i Klara jeszcze bardziej się zmartwiła.

– Dlaczego przynajmniej nie zabierzesz Lisicy? – spytała.

Słysząc te słowa, Lisica jeszcze czulej zaczęła się ocierać o jej nogi. Szukała towarzystwa Klary i dla niej coraz częściej przybierała postać dziewczyny.

Jakub zawrócił konia.

– Nie. Lisica tu zostanie – oznajmił, a ona spuściła głowę, nie protestując.

Wiedziała, że ani Will, ani Klara nie znali tutejszego świata i sami sobie w nim nie poradzą.

Gdy Jakub na najbliższym zakręcie drogi się obejrzał, nadal siedziała obok Klary i odprowadzała go wzrokiem. Will nawet nie spytał, dokąd jedzie. Schował się przed światłem dnia.

18
MÓWIĄCY KAMIEŃ

Will słyszał głos kamienia tak wyraźnie jak własny oddech. Dźwięki wydobywały się ze ścian groty, szorstkiego gruntu pod stopami i skalnego stropu. Jego ciało odbierało fale, jakby było z nich stworzone. Nie miał już imienia – miał tylko nową skórę otulającą go chłodną, ochronną warstwą. Czuł nową nieznaną siłę w mięśniach i ból oczu, gdy spoglądał w słońce.

Przesunął dłonią po skale i z warstw, które pozostawił tu czas, odczytał jej wiek. Kamienie szeptały mu o tym, co kryło się pod niepozorną szarą powierzchnią: prążkowany agat, żółtozłoty cytryn i czarny onyks. Razem tworzyły one niesamowite obrazy podziemnych miast, skamieniałej wody, matowego światła, odbijającego się w oknach z malachitu…

– Will?

Odwrócił się i skała zamilkła.

U wejścia do groty stała kobieta. Światło słoneczne igrało w jej włosach.

Klara. Jej twarz przywołała w nim wspomnienia świata, w którym kamień to były wyłącznie mury i ulice.

– Jesteś głodny? Lisica upolowała królika i pokazała mi, jak się rozpala ogień.

Podeszła i ujęła w dłonie jego twarz. Były miękkie, bezbarwne w porównaniu z zielenią kamienia w jego ciele. Zadrżał pod dotykiem jej rąk, lecz spróbował to ukryć. Kochał ją? Na pewno?

Gdyby tylko jej skóra nie była taka miękka i blada.

– Słyszysz coś? – spytał.

Spojrzała na niego, nie rozumiejąc, o co mu chodzi.

– Już nic – powiedział i pocałował ją.

Nagle Will zapragnął zobaczyć we włosach Klary ametyst. Jej usta coś mu przypomniały: dom, wysoki jak wieża, noce, które rozjaśniało nie złoto jego oczu, lecz światło lamp…

– Kocham cię, Will.

Wypowiedziała te słowa, jakby chciała nimi zagłuszyć mowę kamieni. Skała jednak szeptała głośniej, a Will starał się zapomnieć imię, którym go nazwała.

Próbował powiedzieć, że też ją kocha. Pamiętał, że często mówił te słowa. Nie był jednak pewien, co znaczą i czy sercem z kamienia można to czuć.

– Wszystko będzie dobrze – szepnęła i pogładziła go po twarzy, jakby pod warstwą kamienia chciała wyczuć jego dawne ciało. – Jakub niedługo wróci.

Jakub. Jeszcze jedno imię. Wiązało się z bólem. Często wołał to imię w pustkę. Puste pokoje. Puste dni.

Jakub. Klara. Will.

Chciał o nich wszystkich zapomnieć.

Odepchnął jej miękkie dłonie.

– Nie – powiedział. – Nie dotykaj mnie.

Jej wzrok. Ból. Miłość. Pretensja. Wszystko to już widział w czyjejś twarzy. Chyba swojej matki. Za dużo bólu. Za dużo miłości. Już tego nie chciał. Tęsknił za kamieniem. Chłodnym i twardym. Tak innym niż miękkie i ustępliwe, podatne na zranienia i nabrzmiałe od łez ciało.

Will odwrócił się od niej.

– Odejdź – powiedział. – Idź już.

Znowu zaczął wsłuchiwać się w skały. Niech malują obrazy. I zamienią w kamień wszystko, co jeszcze miał w sobie miękkiego i delikatnego.

19
VALIANT

Terpevas było największym miastem karłów. Jeżeli dać wiarę archiwom, liczyło ponad tysiąc dwieście lat. Reklamy na murach zachwalające piwo, okulary i nowe typy materaców każdemu przybyszowi uświadamiały, że karły bardzo poważnie traktowały nowoczesność.

Były mrukliwe, przywiązane do tradycji, odkrywcze. Ich placówki handlowe można było spotkać w każdym zakątku świata po tej stronie lustra, mimo że większości swoich klientów sięgały zaledwie do pasa. Poza tym cieszyły się opinią znakomitych szpiegów.

Ruch u bram Terpevas był prawie tak samo ożywiony jak po drugiej stronie lustra. Tyle że tutaj po bruku turkotały furmanki, powozy i stukały kopyta wierzchowców. Klienci przybywali ze wszystkich stron świata. Wojna przyniosła ożywienie w interesach. Karły od dawna handlowały z goylami, a kamienny król wielu spośród nich wybrał na głównych dostawców. Evenaugh Valiant, karzeł, którego Jakub pragnął odnaleźć w Terpevas, również od lat handlował z goylami, wierny zasadzie, by zawsze w porę przejść na stronę zwycięzcy.

„Pozostaje tylko mieć nadzieję, że ten zdradziecki łotr jeszcze żyje!" – myślał Jakub, popędzając konia, obok powozów i jednokonek, ku południowej bramie.

Bardzo możliwe było, że któryś z oszukanych klientów pozbawił Valianta życia.

Co najmniej trzech karłów musiałoby stanąć jeden drugiemu na ramionach, żeby spojrzeć w oczy strażnikom przy bramie. Do ochrony miasta zatrudniały wyłącznie kuzynów wymarłych olbrzymów. Chętnie brano ich jako najemników i członków straży, mimo że nie byli zbyt błyskotliwi. Karły płaciły tak dobrze, że strażnicy zgodzili się przywdziać staromodne mundury armii swoich pracodawców. Nawet cesarska kawaleria nie nosiła hełmów przybranych łabędzimi piórami. Karły jednak lubiły stroje z dawnych lat.

Jakub przejechał obok strażników, za plecami dwóch goylów. Jeden miał ciało z chalcedonu, drugi z – onyksu.

118

Byli ubrani tak samo jak dwaj ludzie, fabrykanci, których powóz straże przywołały przez bramę. Pod ich długimi płaszczami widać było jednak zarys pistoletów. Na szerokich kołnierzach mieli naszyte kawałki nefrytu i chalcedonu, a ciemne okulary, którymi chronili przed światłem wrażliwe oczy, wykonano z onyksu tak cienkiego, że człowiek nie umiałby go oszlifować.

Obaj goyle ignorowali wstręt, jaki ich widok wywoływał u ludzi goszczących w mieście karłów. Ich twarze mówiły wyraźnie, że ten świat należy do nich. Ich król zerwał go sobie jak dojrzały owoc, a ci, którzy jeszcze kilka lat temu polowali na nich jak na zwierzynę, teraz swoich poległych grzebali w masowych grobach i żebrali o pokój.

Onyksowy goyl zdjął okulary, a spojrzenie jego złotych oczu tak bardzo przypominało wzrok Willa, że Jakub zatrzymał konia i parę chwil spoglądał za nim. Otrzeźwiło go dopiero złorzeczenie karlicy, bo zatarasował drogę jej maleńkim dzieciom.

Miasto karłów, skurczony świat.

Jakub zostawił klacz w jednej ze stajni za murami. Główne ulice Terpevas były równie szerokie jak u ludzi, lecz dalej od centrum nie udawało się ukryć, że mieszkańcy wzrostem nie przewyższali sześcioletnich dzieci. Niektóre uliczki były tak wąskie, że Jakub z trudem się przez nie przeciskał. Miasta w świecie po tej stronie lustra wyrastały jak grzyby po deszczu i Terpevas nie było wyjątkiem. Dym z niezliczonych węglowych pieców pokrywał czernią okna i mury, a przykry zapach unoszący się w zimnym jesiennym powietrzu nie pochodził z gnijącego listowia, mimo że kanalizacja u karłów była lepsza niż w cesarskim pałacu. Z każdym rokiem świat po tej stronie lustra starał się coraz bardziej przypominać tamten po drugiej jego stronie.

Jakub nie potrafił odczytać nazw ulic, ponieważ ledwo znał alfabet karłów. Już po chwili całkiem się zgubił. Gdy po raz trzeci zahaczył głową o szyld tego samego zakładu fryzjerskiego, zatrzymał posłańca i zapytał o dom Evenaugh Valianta, Eksport – Import Rzadkich Towarów Wszelkiego Rodzaju. Chłopiec nie sięgał mu nawet do kolan. Od razu spojrzał na niego przyjaźniej, gdy Jakub położył mu na maleńkiej dłoni dwa miedziaki. Malec ruszył przed siebie tak szybko, że na ruchliwej ulicy ledwie za nim nadążał. W końcu jednak zatrzymał się przed drzwiami, przez które Jakub przed trzema laty już raz próbował się przecisnąć.

Na szybie z mlecznego szkła złotymi literami wypisane było nazwisko karła. Jakub, tak jak poprzednio, musiał się zgiąć wpół, żeby wejść do środka. Sień w domu Valianta była na tyle wysoka, że dorosły człowiek mógł się wyprostować. Jej ściany zdobiły fotografie najważniejszych klientów. Teraz już i tutaj nie zamawiano malowanych portretów, lecz robiono zdjęcia. O talentach handlowych Valianta świadczyło zdjęcie cesarzowej wiszące obok wizerunku oficera goyla. Ramy wykonano z księżycowego srebra. Z sufitu zwisała lampa, w którą powtykane były szklane włosy dżina. Musiało to karła kosztować majątek. Wszystko świadczyło o pomyślności w interesach. Zamiast mrukliwej karlicy, która powitała Jakuba podczas jego pierwszej wizyty, pracowało teraz dwóch sekretarzy.

Mniejszy nawet nie podniósł głowy, gdy Jakub stanął przed sięgającym mu do kolan biurkiem. Drugi zaś omiótł go wzrokiem z typową pogardą, z jaką karły odnoszą się do ludzi, z którymi prowadzą interesy.

Jakub posłał mu swój najbardziej uprzejmy uśmiech.

– Jak mniemam, pan Valiant nadal handluje z nimfami?

– Zaiste. Chwilowo jednak nie mamy motylich kokonów. – Sekretarz, jak wiele karłów, miał bardzo niski głos. – Proszę dowiedzieć się ponownie za trzy miesiące.

Po tych słowach wrócił do swoich papierów. Natychmiast jednak podniósł głowę, gdy Jakub z krótkim trzaskiem odbezpieczył pistolet.

– Nie przyszedłem tu z powodu kokonów. Mogę obu panów zaprosić do szafy?

Karły słyną z siły fizycznej, lecz te dwa były nędznej postury, a Valiant najwyraźniej nie płacił im wystarczająco dobrze, żeby pozwoliły się zastrzelić przez jakiegoś przybyłego nie wiadomo skąd człowieka. Bez oporu dały się zamknąć w szafie. Wyglądała solidnie i Jakub zyskał pewność, że w trakcie rozmowy z ich pracodawcą nie wezwą tutejszej policji.

W herbie, umieszczonym na drzwiach gabinetu Valianta, nad lilią, siedział na stercie złotych talarów symbol

121

rodu – borsuk. Drzwi, na których wisiał herb, wykonane były z różanego drewna. Nie tylko drogo kosztowały, lecz również tłumiły dźwięk. Valiant nie mógł więc usłyszeć tego, co się wydarzyło w sieni.

Siedział za biurkiem, jakich używają ludzie. Kazał tylko skrócić nogi. Z zamkniętymi oczami ćmił cygaro, które nawet w ustach olbrzyma sprawiałoby imponujące wrażenie. Evenaugh Valiant, zgodnie z najnowszą modą, zgolił brodę. Krzaczaste jak u wszystkich karłów brwi miał starannie przycięte. Nosił uszyty na miarę garnitur z aksamitu, materiału, ogromnie przez nich cenionego. Jakub najchętniej wyciągnąłby go z fotela z wilczej skóry i wyrzucił przez znajdujące się z tyłu okno. Powstrzymała go jednak myśl o Willu.

– Mówiłem, żeby mi nie przeszkadzano, Banster! – Karzeł westchnął, nie otwierając oczu. – To znowu ten klient, który zgłosił do reklamacji wypchanego wodnika?

Utył. I się postarzał. Kręcone rude włosy mu posiwiały, za wcześnie jak na karła. Większość z nich dożywała co najmniej setki, Valiant zaś miał dopiero niecałe sześćdziesiąt lat. O ile nie kłamał również na temat swojego wieku.

– Nie przyszedłem tu z powodu wypchanego wodnika – odpowiedział Jakub i wycelował z pistoletu w pokrytą lokami głowę. – Trzy lata temu jednak zapłaciłem za coś, czego nie otrzymałem.

Valiant niemal zakrztusił się cygarem i wlepił w Jakuba oczy ze zdumieniem, jakiego można doznać na widok kogoś, kogo pozostawiło się na pastwę stada rozjuszonych jednorożców.

– Jakub Reckless! – wybełkotał.

– Nie do wiary! Pamiętasz, jak się nazywam.

Karzeł upuścił cygaro i sięgnął dłonią pod biurko. Szybko jednak ją cofnął, krzyknąwszy, gdy Jakub rozciął mu szablą rękaw.

– Uważaj, co robisz! – ostrzegł go Jakub. – Nie potrzebujesz obu rąk, żeby zaprowadzić mnie do siedziby nimf. Ani nosa i uszu. Ręce za głowę. Szybko!

Valiant usłuchał – i rozciągnął usta w nazbyt szerokim uśmiechu.

– Jakubie – wymamrotał. – Po co to? Oczywiście, wiedziałem, że żyjesz. Wszędzie o tym mówiono. Jakub Reckless, szczęśliwy śmiertelnik, którego przez rok więziła Czerwona Nimfa. Każda męska istota w tym kraju, karzeł, człowiek czy goyl, na samą myśl o tym zielenieje z zazdrości. Przyznaj, komu zawdzięczasz to szczęście? Valiantowi! Gdybym cię ostrzegł przed jednorożcami, ona z pewnością zamieniłaby cię w oset czy jakąś rybę, jak wszystkich nieproszonych gości. Jednak nawet Czerwonej Nimfie zmięknie serce na widok mężczyzny leżącego w kałuży krwi!

Zuchwalstwo tej argumentacji zaskoczyło nawet Jakuba.

– Opowiadaj – bez śladu poczucia winy szepnął Valiant, nachylając się ku niemu przez o wiele za duże biurko. – Jaka była? I jak ci się udało od niej uciec?

Jakub, zamiast odpowiedzieć, chwycił karła za kołnierz i wyciągnął zza biurka.

– Oto moja propozycja: nie zastrzelę cię, ale tylko pod warunkiem, że znowu zaprowadzisz mnie do ich doliny. Tym razem jednak pokażesz mi, jak ominąć jednorożce.

– Co? – Valiant próbował się wyswobodzić, lecz widok pistoletu sprawił, że szybko zmienił zamiar. – To co najmniej dwa dni konnej jazdy! – wrzasnął. – Nie mogę wszystkiego zostawić!

W odpowiedzi Jakub pchnął go ku drzwiom.

W sieni dwaj sekretarze szeptali zamknięci w szafie. Valiant rzucił ku niej gniewne spojrzenie i zdjął kapelusz z wieszaka obok drzwi.

– Przez ostatnie trzy lata moje ceny znacznie wzrosły – zaznaczył.

– Daruję ci życie – oznajmił Jakub. – To będzie królewska zapłata.

Valiant, poprawiając kapelusz przed oszklonymi drzwiami, spojrzał na siebie z żalem. Jak wiele karłów, miał zamiłowanie do cylindrów, które dodawały im kilkanaście centymetrów wzrostu.

– Najwyraźniej bardzo ci zależy na powrocie do twojej byłej ukochanej – wymruczał. – Cena rośnie wraz ze stopniem determinacji klienta.

Jakub przystawił mu do kapelusza lufę pistoletu.

– Bądź pewien – powiedział – że ten klient jest wystarczająco zdeterminowany, by w każdej chwili cię zastrzelić.

20
ZBYT WIELE

Odraza, zastygły w kamieniu wstręt, zamarznięta miłość. Wszystko to płynęło z jaskini. Lisicy zjeżyło się futro, gdy tuż przed wejściem ujrzała w trawie odciski stóp Klary. Dziewczyna szła, zataczając się, a jej ślad prowadził w stronę drzew rosnących z tyłu groty. Jakub ostrzegał przed nimi Klarę, lecz pobiegła tam, jakby to ich właśnie szukała.

Jej zapach przypominał Lisicy ten, który czuła, ilekroć zrzucała skórę. Zapach dziewczyny. Kobiety. O wiele wrażliwszej. Silnej i słabej zarazem. Nieopancerzone serce. Zapach mówił o wszystkim, czego Lisica się bała i przed czym chroniło ją futro.

Kroki Klary wszystko to wypisały na ciemnej ziemi i Lisica nie musiała sprawdzać węchem, dlaczego Klara szła tak szybko. Ona sama też już kiedyś próbowała uciec przed bólem.

Krzewy leszczyny i dzikie jabłonie były niegroźne, lecz między nimi z gęstwiny wystawały pnie o korze kłującej jak łupina kasztana. Ptasie drzewa. Słoneczne światło rozlewało się pod nimi w brązowym mroku i Klara wpadła prosto w drewniane szpony jednego z nich.

Zawołała Jakuba, lecz on był daleko. Korzenie drzewa owinęły się wokół jej kostek i przegubów, a tułów Klary obsiedli upierzeni służący, z piórami białymi jak świeży śnieg – ptaki o spiczastych dziobach i oczach jak czerwone jagody.

Lisica skoczyła na nie z wyszczerzonymi zębami, głucha na ich gniewny wrzask. Jednego ptaka chwyciła, zanim zdołał uciec na bezpieczne górne gałęzie. Trzymała go w zębach, czuła jego szybko bijące serce, nie zacisnęła jednak szczęk, lecz tylko mocno go ściskała, dopóki drzewo z gniewnym westchnieniem nie puściło Klary.

Korzenie, jak węże, odwinęły się z jej drżących rąk i kostek. Gdy Klara, chwiejąc się, stanęła na nogach, cofnęły się pod zbrązowiałe jesienne liście, by tam czekać na kolejną ofiarę. Pozostałe ptaki, białe jak duchy wśród pożółkłych liści, z gałęzi obrzucały Lisicę wyzwiskami. Ona jednak mocno trzymała zdobycz i puściła ją dopiero wtedy, gdy Klara stanęła obok niej. Twarz dziewczyny była biała jak ptasie pióra na jej ubraniu. Lisica wyczuwała w niej śmiertelny strach, ale również ból, jaki zadaje świeża rana.

W drodze powrotnej do jaskini nie zamieniły ani słowa. W pewnej chwili Klara się zatrzymała, jakby zabrakło jej sił. W końcu ruszyła dalej. Gdy dotarły do jaskini, spojrzała na ciemne wejście w nadziei, że zobaczy tam Willa. Potem jednak usiadła na trawie, obok koni, plecami do jaskini. Oprócz kilku drobnych skaleczeń na szyi i kostkach nie miała żadnych obrażeń. Lisica jednak wiedziała, że Klara się wstydzi – swojego obolałego serca i tego, że uciekła.

Lisica nie chciała, żeby Klara odeszła. Przybrała postać dziewczyny i objęła ją, a Klara wtuliła twarz w jej miękką jak futro suknię.

– On już mnie nie kocha, Lisico.

– Nikogo już nie kocha – szepnęła Lisica. – Ponieważ zapomina, kim jest.

Kto lepiej od niej mógł wiedzieć, co to znaczy. Inna skóra, inne „ja". Futro Lisicy było miękkie i ciepłe. A kamień – twardy i zimny.

Klara spojrzała w stronę jaskini. Lisica wyjęła jej z włosów piórko.

– Zostań! – szepnęła. – Jakub mu pomoże. Zobaczysz. Oby tylko wrócił.

21
STRÓŻ SWOJEGO BRATA

Gdy Jakub podjechał konno do jaskini, Lisica wyszła mu naprzeciw. Willa i Klary nigdzie nie było widać.

– Coś takiego, ta zapchlona Lisica nadal za tobą łazi? – zadrwił Valiant, gdy Jakub zsadzał go z konia.

Był związany srebrnym łańcuchem, bo to jedyny metal, którego karły nie rozerwą jak nici.

Jakub wcale by się nie zdziwił, gdyby po tych słowach Lisica ugryzła Valianta. Ona jednak zdawała się wcale go nie dostrzegać. Coś musiało się wydarzyć. Miała zmierzwione futro, a w nim kilka białych piórek.

– Musisz porozmawiać z bratem – powiedziała, gdy Jakub przywiązywał Valianta do najbliższego drzewa.

– Dlaczego?

Spojrzał z troską w stronę jaskini, gdzie ukrył się Will, lecz Lisica wskazała na konie. W cieniu buku spała Klara. Miała rozdartą koszulę, a na szyi ślady krwi.

– Pokłócili się – wyjaśniła Lisica. – On nie wie, co robi! „Kamień jest szybszy od ciebie, Jakubie”.

Znalazł Willa w najciemniejszym zakamarku jaskini. Siedział na ziemi, oparty plecami o skałę.

„Zamiana ról, Jakubie”.

Do tej pory on zawsze był tym, który coś przeskrobał i siedział w ciemności, w swoim pokoju, w pralni, w gabinecie ojca.

„Jakubie? Gdzie jesteś? Co znowu zbroiłeś?”.

Zawsze Jakub. Ale nie Will. Nigdy Will.

Oczy jego brata lśniły w ciemności jak złote monety.

– Co powiedziałeś Klarze?

Will spojrzał na swoje palce i zacisnął pięść.

– Nie pamiętam – odparł.

– Przestań!

Will nigdy nie umiał kłamać.

– To ty chciałeś ją zabrać! – przypomniał mu Jakub. A może tego też nie pamiętasz? „Przestań, Jakubie”. Bolało go ramię i ciężko mu było pilnować brata. – Walcz z tym! – rzucił ostro. – Nie zawsze możesz na mnie liczyć!

Will powoli wstał. W jego ruchach czuć było siłę. Minęły czasy, gdy sięgał Jakubowi do ramienia.

– Liczyć? Na ciebie? – parsknął. – Już w wieku pięciu lat się tego oduczyłem. Mama, niestety, potrzebowała trochę więcej czasu. Przez lata słyszałem po nocach jej płacz. Bracia. Jakby znowu znaleźli się w mieszkaniu. Sień, puste pokoje i ciemna plama na tapecie po fotografii ojca.

– Czy warto liczyć na kogoś, kogo nigdy nie ma? – Ostre słowa Willa raniły głęboko. – Masz z nim wiele wspólnego. Nie tylko wygląd – dodał. Przyglądał się bratu, jakby porównywał jego twarz z twarzą ojca. – Bez obawy, pokonam to – powiedział. – Ostatecznie to moje ciało, nie twoje. I nadal tu jestem, prawda? Zrób to, co mówisz. Jedź, gdzie masz jechać. I nie bój się.

Usłyszeli głos Valianta. Próbował przekonać Lisicę, żeby go uwolniła ze srebrnego łańcucha.

Will skinął głową w stronę wyjścia.

– To przewodnik, o którym mówiłeś? – spytał.

– Tak.

Jakub przemógł się, żeby spojrzeć na tego obcego, który tylko przypominał jego brata.

Will podszedł do wejścia i gdy światło dnia padło na jego twarz, przysłonił dłonią oczy.

– Przykro mi z powodu tego, co powiedziałem Klarze – dodał. – Porozmawiam z nią.

Potem wyszedł z groty. Jakub zaś stał w ciemności i czuł w sobie ostre odłamki szkła. Jakby Will rozbił lustro.

22
SNY

Zapadł zmierzch, ale Czarna Nimfa czuwała. Noc była zbyt piękna, by ją przespać. Mimo to widziała człowieka-goyla. Teraz miała go przed oczami bez względu na to, czy spała, czy nie. Jej zaklęcie już większą część jego ciała przemieniło w nefryt. Nefryt. Zielony jak samo życie. Serce z kamienia, stworzone przez pozbawionych serca. Będzie o wiele piękniejszy, gdy nefryt zastąpi już całe jego ludzkie ciało, a on sam stanie się tym, kim ma być. Jego przyszłość już dawno została przypieczętowana. Wszystkie rzeczy ukryto w załomkach czasu. Tylko sny o nich wiedziały. Zdradziły jej o wiele więcej niż komukolwiek innemu. Może dlatego, że dla nieśmiertelnych czas nic nie znaczy.

Powinna była zostać w zamku o zamurowanych oknach i tam czekać na wiadomość od Hentcaua. Kamien chciał jednak wracać w góry, w których się urodził, do podziemnej twierdzy. Tęsknił za głębią, tak jak ona tęskniła za nocnym niebem i białymi liliami unoszącymi się na wodzie – mimo że nadal próbowała sobie wmawiać, że miłość jej wystarczy.

W oknie pociągu widać było jej odbicie: bladą zjawę na szybie, za którą świat przesuwał się o wiele za szybko. Kamien wiedział, że w pociągach czuła się równie źle jak pod ziemią, ściany jej wagonu kazał zatem ozdobić obrazkami. Kwiaty z rubinu i liście z malachitu, niebo z lapis-lazuli, wzgórza z nefrytu i lśniąca tafla jeziora z chalcedonu. To chyba była miłość?

Kamienne obrazy były piękne, cudowne. Zwłaszcza gdy dłużej nie mogła już znieść widoku pól i wzniesień, przesuwających się, jakby niknęły w czasie. Palcami gładziła kamienne kwiaty. Od huku pociągu bolały ją uszy i marzła w metalowym wagonie.

Tak. Kochał ją. Mimo to ożeni się z dziewczyną o twarzy lalki, ludzką księżniczką z jasnymi oczami i urodą, którą zawdzięcza tylko nimfom. Amalia. Jej imię było tak samo bezbarwne jak jej twarz. Chętnie by ją zabiła. Dała zatruty grzebień, suknię, która weżre się w nią głęboko, gdy ją przymierzy przed złotym lustrem. By krzyczała i rozdrapywała ciało – i to nie ciało swojego oblubieńca.

Nimfa przytknęła skroń do chłodnej szyby. Nie pojmowała, skąd wzięła się w niej zazdrość. Ostatecznie Kamien nie po raz pierwszy brał sobie inną kobietę. Żaden goyl nie kochał tylko raz w życiu. Nikt nie kochał tylko raz... A zwłaszcza nimfa.

Czarna Nimfa znała opowieści o takich jak ona. Że kto pokochał nimfę, popadał w obłęd, i że nimfy nie miały serca, tak jak nie miały ojca ani matki. Przynajmniej to było prawdą. Przycisnęła dłoń do piersi. Nie ma serca. Skąd więc płynęła miłość, którą czuła?

Gwiazdy odbite w czarnej wodzie jakiejś rzeki płynęły po niej jak kwiaty. Goyle bali się wody, mimo że to ona stworzyła ich groty, a dźwięk spadających kropli był w ich miastach tak zwyczajny jak szum wiatru nad ziemią. Bali się jej tak bardzo, że morze wytyczyło granicę podbojów Kamiena. On sam zaczął marzyć o lataniu. Skrzydeł jednak nie mogła mu dać, podobnie jak dzieci. Narodziła się z wody, której tak bardzo się bał. Wszystkie słowa, które dla niego tyle znaczyły – siostra, brat, córka, syn – dla niej nie znaczyły nic.

Dziewczyna o twarzy lalki też nie mogła dać mu dzieci – chyba że chciałby powołać na świat kalekie potwory, jakie kilka ludzkich kobiet urodziło jego żołnierzom.

– Ile razy mam ci powtarzać? Wcale mi na niej nie zależy, ale muszę zawrzeć pokój.

Wierzył w każde swoje słowo, ona jednak znała go lepiej. Zależało mu na zakończeniu wojny, ale znacznie bardziej pociągało go ludzkie ciało i pragnienie, by jedną z kobiet pojąć za żonę. Jego ciekawość wszystkiego, co ludzkie, napawała ją lękiem nie mniejszym niż jego własny lud.

Skąd się brała miłość? Z czego była zrobiona? Z kamienia jak on? Z wody jak ona?

Dla rozrywki podjęła poszukiwania zabawki, którą zobaczyła we śnie: goyla, który roztrzaskałby świat na kawałki i tak jak ona nie szanował zasad. Nimfy nie bawiły się już światem. Ostatnia, która to robiła, została zamieniona w drzewo. Mimo to wysłała ćmy, żeby poszukały Kamiena. Namiot, w którym po raz pierwszy go zobaczyła, miał zapach krwi i śmierci. Nie rozumiała tego i nadal wszystko traktowała jak zabawę. Obiecała mu świat. Posiała kamień w ciele jego wrogów. Zbyt późno zrozumiała, co on w niej posiał. Miłość. Najgorszą ze wszystkich trucizn.

– Powinnaś częściej nosić ludzkie stroje.

Oczy ze złota. Usta z płomieni. Nie wyglądał na zmęczonego, mimo że od wielu dni nie spał.

Gdy odwracała się ku niemu, jej suknia zaszeleściła. Ludzkie kobiety ubierały się jak kwiaty, warstwy płatków wokół śmiertelnego, więdnącego ciała. Kazała uszyć dla siebie suknię według malowidła wiszącego w zamku zabitego generała. Kamien bardzo często patrzył na ten obraz, zatopiony w myślach, jakby takiego świata szukał. Materii starczyłoby na dziesięć sukni, ona jednak kochała szelest jedwabiu i jego chłodny dotyk na skórze.

– Nie ma wieści od Hentcaua? – zapytała, jakby nie znała odpowiedzi.

Jej ćmy go znalazły. Widziała go tak wyraźnie. Wystarczyło wyciągnąć rękę, żeby pod palcami poczuć nefrytową skórę.

– Hentcau go znajdzie. O ile tamten w ogóle istnieje.

Kamien stanął za nią. Wątpił w to, co widziała w snach, ale nie w swoje jaspisowe odbicie w szybie.

Hentcau. Jego też najchętniej by zabiła. Jego śmierci jednak Kamien by jej nie wybaczył, tak jak śmierci swojej przyszłej żony. Zabił własnych braci, jak to goyle często czynili, Hentcau jednak był mu bliższy niż brat. Może nawet bliższy niż ona.

Ich odbicia w szybie pociągu zlały się w jedno. Gdy stawał obok niej, natychmiast zaczynała szybciej oddychać. Skąd się bierze miłość?

– Zapomnij o nefrytowym goylu i o swoich snach – szepnął i rozpuścił jej włosy. – Podaruję ci nowe sny, powiedz tylko jakie.

Nigdy nie mówiła Kamienowi, że jego też najpicrw zobaczyła w snach. To by mu się nie spodobało. Ani ludzie, ani goyle nie żyją na tyle długo, by pojąć, że wczoraj rodzi się z jutra, a jutro z wczoraj.

23
W PUŁAPCE

Gdy dotarli do wąwozu, którym Jakub już raz wjechał w dolinę nimf, wydawało mu się, że wraca do przeszłości. Trzy lata to sporo czasu, ale wszystko było jak dawniej: płynący po dnie wąwozu strumień, świerki trzymające się kurczowo zbocza, cisza wśród skał… Tylko bolący bark przypominał mu, że od tamtych chwil wiele się wydarzyło. Ból był tak silny, jakby Krawiec istotnie szył ubranie z jego skóry.

Valiant siedział przed nim na koniu. Co chwila się odwracał i spoglądał na Jakuba.

– Och, naprawdę źle wyglądasz, Reckless! – zauważył po raz kolejny z nieukrywaną satysfakcją. – I ta biedna dziewczyna znowu na ciebie patrzy. Na pewno się boi, że spadniesz z konia, zanim jej ukochany odzyska dawne ciało. Nie martw się jednak. Gdy umrzesz, a twój brat zostanie goylem, pocieszę ją. Mam słabość do ludzkich kobiet.

I tak bez końca, odkąd wyruszyli, lecz Jakub był zbyt zamroczony gorączką, żeby jakkolwiek zareagować. Nawet słowa Willa wypowiedziane w jaskini przytłumił ból. Jakub tęsknił za uzdrawiającym powietrzem w krainie nimf nie tylko ze względu na brata, lecz także na siebie.

„Już niedaleko, Jakubie. Jeszcze tylko wąwóz i zaraz będziesz w ich dolinie".

Klara jechała tuż za nim. Will od czasu do czasu poganiał konia i zrównywał się z nią, jakby chciał zatrzeć to, co się wydarzyło w grocie. W sercu Klary miłość walczyła z lękiem. Mimo to jechała dalej.

Tak jak Jakub. I Will.

Karzeł i teraz jeszcze mógł ich wszystkich oszukać.

Słońce stało już bardzo nisko i cienie wśród skał się wydłużyły. Woda w płynącym obok spienionym potoku była tak ciemna, jakby wydobywała się z czarnej otchłani. Nie ujechali daleko, gdy Will zatrzymał konia.

– Tu są goyle. – W głosie Willa nie było cienia wątpliwości. – Są bardzo blisko.

– Goyle? – Valiant rzucił Jakubowi złośliwe spojrzenie. – Pysznie. Świetnie się z nimi dogaduję.

Jakub dłonią zakrył mu usta. Poluzował wodze i nasłuchiwał, lecz szum strumienia zagłuszał wszystkie inne dźwięki.

– Udawajcie, że poicie konie – szepnął do pozostałych.

– Ja też ich wyczuwam – syknęła Lisica. – Są przed nami.

– Dlaczego się kryją? – Will drżał jak zwierzę, które zwietrzyło swoje stado.

Valiant przyjrzał mu się, jakby widział go po raz pierwszy, i tak gwałtownie odwrócił się do Jakuba, że prawie wypadł z siodła.

– Ty podstępny psie – szepnął. – Jaki kolor ma kamień na jego twarzy? Zielony, prawda?

– Co z tego?

– Co? Uważasz mnie za głupka? To nefryt. Goyle wyznaczyli za niego kilo czerwonego chalcedonu. Twój brat! Pęknę ze śmiechu! – Karzeł mrugnął do niego porozumiewawczo. – Znalazłeś go jak szklany pantofelek i samonakrywający się stoliczek. Po diabła jednak wieziesz go do nimf?

Nefryt.

Jakub patrzył na bladozieloną skórę Willa. Oczywiście, słyszał o tym. I o królu goyli, i o jego niepokonanym przybocznym gwardziście. Chanute już kiedyś marzył o tym, żeby znaleźć nefrytowego goyla i sprzedać go cesarzowej. Jakub nigdy jednak nie myślał, że będzie nim jego brat.

U wylotu wąwozu widać było wypełnioną teraz mgłą dolinę. Już tak blisko.

– Zaprowadźmy go do jednej z jej twierdz i podzielmy się nagrodą! – syknął Valiant. – Jeżeli złapią go w wąwozie, nic za niego nie dostaniemy!

Jakub nie zwracał na niego uwagi. Widział, jak Will drży.

– Znasz jakąś inną drogę do doliny? – zapytał karła.

– Pewnie – rzucił zuchwale Valiant. – Jeżeli myślisz, że twój tak zwany brat ma czas na wędrówki okrężnymi drogami... Nie wspominając już o tobie!

Will obejrzał się, bezradny jak schwytane zwierzę.

Klara popędziła konia, zrównując się z Jakubem.

– Zabierz go stąd – szepnęła. – Proszę.

„Ale co wtedy?".

Kilka metrów dalej, przed skalną ścianą, rosła kępa sosen. Ich gałęzie rzucały tak głęboki cień, że Jakub nawet z małej odległości nie widział, co się pod nimi kryje.

Pochylił się do Willa i chwycił go za rękę.

– Jedź za mną pod sosny – powiedział cicho. – I zsiądź z konia, gdy ja to zrobię.

Nadszedł czas zabawić się w chowanego. I w przebieranki.

Will zawahał się chwilę, w końcu jednak ujął wodze i ruszył za Jakubem.

Cienie pod sosnami były czarne jak sadza. Ciemność ta przy odrobinie szczęścia mogła oszukać nawet oczy goylów.

– Pamiętasz, jak biliśmy się, będąc dziećmi? – szepnął Jakub do Willa, zanim w pobliżu drzew zeskoczył z siodła.

– Zawsze dawałeś mi wygrać.

– Teraz to powtórzymy.

Lisica skoczyła ku nim.

– Co chcesz zrobić?

– Bez względu na to, co się stanie – odpowiedział jej cicho Jakub – chcę, żebyś została z Willem. Obiecaj mi. Jeżeli tego nie zrobisz, wszyscy zginiemy.

Will zsiadł z konia.

– Chcę, żebyś się bronił, Will – szepnął Jakub. – I postaraj się, żeby to wyglądało prawdziwie. Bójkę skończymy pod drzewami.

Powiedziawszy to, bez ostrzeżenia uderzył brata pięścią w twarz.

Złoto w oczach Willa zapłonęło.

Cios oddał z taką siłą, że Jakub upadł na kolana. Kamiennej pięści i takiego gniewu na twarzy brata jeszcze nigdy nie widział.

„Może to nie był dobry pomysł, Jakubie?".

24
MYŚLIWI

Hentcau o świcie dotarł do wąwozu. Widok jednorożców pasących się w zamglonej dolinie nie pozostawiał wątpliwości. Nesser doprowadziła ich we właściwe miejsce. Teraz jednak słońce zachodziło i Hentcau zaczął się zastanawiać, czy aby brat w końcu nie zastrzelił nefrytowego goyla. W tej chwili Nesser wskazała mu wejście do wąwozu.

Była z nimi dziewczyna i lis, tak jak zeznał trójpalczasty. Złapali jeszcze karła. Niezły pomysł. Nawet Nesser nie wiedziała, jak ominąć jednorożce. Ale Hentcau słyszał pogłoski, że niektóre karły znały tę tajemnicę. Nieważne – nie miał zamiaru stać się pierwszym goylem, który zobaczył zaklętą wyspę. Wolałby już przejechać konno przez kilkanaście Czarnych Lasów lub spać w Krainie Ślepych Węży mieszkających pod ziemią. Nie. Złapie nefrytowego goyla, zanim ten ukryje się wśród jednorożców.

– Komendancie, oni się biją! – W głosie Nesser zabrzmiało zdziwienie.

Czego się spodziewała? Wraz z kamieniem pojawił się gniew, jak złoto w jego oczach. Przeciwko komu najpierw się zwrócił? Przeciwko bratu.

„Tak, zabij go! – myślał Hentcau, obserwując przez lunetę nefrytowego goyla. – Może już nieraz tego chciałeś, ale on zawsze był starszy, silniejszy. Zobaczysz: gniew goyla to wszystko wyrówna".

Starszy nieźle walczył, lecz nie miał żadnych szans.

Proszę. Upadł na kolana. Dziewczyna podbiegła do goyla i próbowała go odciągnąć, lecz on nie dawał za wygraną. Gdy brat próbował się podnieść, tamten tak mocno kopnął go w pierś, że zataczając się, zniknął pod sosnami. Czarne gałęzie zakryły obu i Hentcau właśnie zamierzał dać sygnał, by tam ruszyć, gdy goyl wynurzył się spod drzew.

Już był wrażliwy na słońce i podchodząc do konia, naciągnął kaptur głęboko na twarz. Po walce niezbyt pewnie trzymał się na nogach, wkrótce jednak zauważy, że jego nowe ciało znacznie szybciej odzyskuje siły niż to dawne.

– Każ dosiadać koni – szepnął Hentcau do Nesser. – Schwytamy legendę.

25
PRZYNĘTA

Skały. Krzewy. Gdzie mogli się ukryć?
„Jak chcesz się tego dowiedzieć, Jakubie? Nie jesteś goylem. Może powinieneś był spytać brata?".

Nasunął kaptur na twarz i ściągnął wodze, by koń stąpał wolniej. Jak się domyślili, że pójdą wąwozem?

„Nie teraz, Jakubie".

Nie wiedział, co bardziej go bolało, bark czy twarz. Ludzkie ciało było strasznie bezbronne w zetknięciu z nefrytową pięścią. Przez kilka chwil naprawdę myślał, że Will chce go zabić. Nadal nie był pewien, którą część gniewu, wyczuwalnego w uderzeniach, czuł goyl, a którą jego brat.

Koń stąpał przez spieniony potok. Woda pryskała na rozpaloną gorączką skórę Jakuba. Uderzenia kopyt odbijały się echem w wąwozie. Jakub właśnie się zastanawiał, czy Will istotnie wyczuł goyli, gdy nagle w skałach po lewej stronie coś się poruszyło.

„Teraz".

Poluzował wodze i popędził konia. Jechał na rudym wałachu Willa, nie tak szybkim jak klacz, lecz wytrzymałym, a Jakub był znakomitym jeźdźcem.

Jasne, że próbowali mu odciąć drogę. Tak jak się jednak spodziewał, ich konie spłoszyły się, wchodząc na kamieniste dno. Kasztan przemknął między nimi i pognał galopem w zamgloną dolinę. Jakuba dopadły wspomnienia, jakby tu na niego czekały. Szczęście i miłość, strach i śmierć.

Jednorożce uniosły łby. Nie były białe. Dlaczego w świecie, z którego pochodził, wszystkiemu tak chętnie przypisywano białą barwę? Ich sierść była brązowa, srokata lub bladożółta jak jesienne słońce wędrujące we mgle. Zwierzęta obserwowały go, ale żadne nie gotowało się do ataku.

Jakub obejrzał się na swoich prześladowców.

Było ich pięciu. Natychmiast rozpoznał oficera. To on przewodził goylom w akcji w opuszczonej zagrodzie. Na jaspisowym czole miał bliznę, jakby ktoś próbował je rozpłatać, i jedno z jego złotych oczu było mętne jak mleko.

Ścigali go.

Jakub pochylił się nad końskim grzbietem. Kopyta wałacha grzęzły w mokrej trawie, ale na szczęście nie zwalniał.

„Jedź, Jakubie. Odciągnij ich, zanim twój brat się do nich przyłączy".

Goyle zbliżyli się, lecz nie strzelali. Jeżeli naprawdę uważali go za nefrytowego goyla, chcieli go wziąć żywcem.

Jeden z jednorożców zarżał.

„Zostańcie na miejscu!".

Rzut oka przez ramię. Goyle się rozdzielili. Próbowali go okrążyć. Rana tak bardzo bolała Jakuba, że świat rozpływał mu się przed oczami. Przez chwilę myślał, że czas się cofnął i leży w trawie z poranionymi plecami.

Szybciej. Musiał jechać szybciej, ale wałach dyszał coraz ciężej. Goyle od dawna już nie używali na wpół ślepych koni hodowanych pod ziemią. Jeden podjechał już niebezpiecznie blisko. To był ich oficer. Jakub odwrócił się, lecz kaptur zsunął mu się z głowy.

Zaskoczenie na jaspisowej twarzy szybko przemieniło się we wściekłość, taką samą, jaką widział na twarzy brata.

Koniec gry. Gdzie był Will? Jakub szybko się obejrzał.

Oficer goyl zrobił to samo.

Will, z karłem w siodle, galopował wprost na jednorożce. Jechał na koniu Klary, jej oddał klacz. Obok niej trawa poruszała się, jakby smagał ją wiatr. Lisica. Pędziła prawie tak szybko jak konie.

Jakub wyjął pistolet, lecz lewej dłoni już prawie nie czuł, a prawą strzelał znacznie gorzej. Mimo to strzałem strącił z siodeł dwóch goyli, gdy ruszyli w stronę Willa. Mlecznooki złożył się do strzału. Jego jaspisowa twarz stężała z nienawiści. Był tak zły, że zapomniał, którego brata ma ścigać. Nagle jego koń się potknął w wysokiej trawie i kula chybiła celu.

„Szybciej, Jakubie".

Ledwie się trzymał w siodle, lecz Will prawie dotarł do jednorożców i Jakub modlił się, żeby karzeł tym razem powiedział prawdę.

„No, jedź!" – pomyślał z rozpaczą, gdy Will nagle zwolnił. Potem zatrzymał konia i Jakub wiedział, że zrobił to nie z troski o niego. Will odwrócił się w siodle i wpatrywał w goylów, jak to robił wcześniej w opuszczonej zagrodzie.

Mlecznooki wreszcie sobie przypomniał, kogo miał ścigać. Jakub wycelował w niego, lecz strzał tylko go drasnął.

„Przeklęta prawa ręka".

Will zawrócił konia.

Jakub wykrzyknął jego imię.

Jeden z goylów zbliżył się do Willa. To była dziewczyna. Ametyst w ciemnym jaspisie. Gdy Klara koniem zasłoniła Willa, tamta wyciągnęła szablę, lecz kula Jakuba była szybsza. Mlecznooki krzyknął ochryple, gdy dziewczyna spadała na ziemię, i jeszcze mocniej pognał konia w stronę Willa.

„Jeszcze tylko kilka metrów".

Karzeł z przerażeniem patrzył na goyla. Klara jednak chwyciła konia Willa za wodze. Często na nim jeździła, więc usłuchał jej od razu, gdy pociągnęła go wprost na jednorożce.

Stado zwierząt obserwowało pościg obojętnie, jak ludzie patrzą na kłótnię stada wróbli. Jakub wstrzymał oddech, gdy Klara do nich podjechała, lecz karzeł tym razem powiedział prawdę. Jednorożce pozwoliły spokojnie przejść Klarze i jego bratu.

Zaatakowały dopiero wtedy, gdy zbliżyli się do nich goyle.

Dolinę wypełniło przenikliwe rżenie, uderzenia kopyt, widok wierzgających zadów. Jakub usłyszał strzały.

„Zapomnij o goylach. Jedź za swoim bratem!".

Serce waliło mu jak młotem, gdy zbliżył się do wzburzonego stada. Miał wrażenie, że czuje, jak jednorożce rozszarpują mu plecy i ciepła krew spływa po skórze.

„Nie tym razem, Jakubie. Rób, co powiedział karzeł. To proste. Zamknijcie oczy i nie otwierajcie ich ani na chwilę, bo inaczej nadzieją was na róg jak spadłe na ziemię jabłka".

Jakiś róg otarł się o jego udo. Chrapy obwąchiwały mu ucho. Zimne powietrze przesycone było zapachem koni i jeleni.

„Nie otwieraj oczu".

Morze ciał pokrytych szorstką sierścią nie miało końca. Nie czuł lewej ręki. Prawą trzymał konia za kark. Nagle parskanie ucichło. Usłyszał szum wiatru w tysiącach liści, uderzenia fal o brzeg i szelest trzcin.

Jakub otworzył oczy i było tak jak wtedy.

Wszystko znikło – goyle, jednorożce, zamglona dolina. Wieczorne niebo odbijało się w jeziorze. Na wodzie unosiły się lilie, dla których trzy lata temu tu przybył. Liście wierzb rosnących na brzegu były tak zielone, jakby dopiero się rozwinęły. W oddali z fal wynurzała się wyspa, z której jeszcze nikt nie wrócił.

„Oprócz ciebie, Jakubie".

Ciepłe powietrze gładziło mu skórę, a ból w barku ustępował, cofał się jak fala uderzająca o porośnięty trzciną brzeg.

Zsiadł z wyczerpanego konia. Klara i Lisica podbiegły do niego. Tylko Will stał na brzegu i wpatrywał się w wyspę. Wydawało się, że nie odniósł żadnych ran. Gdy odwrócił się do Jakuba, w oczach miał ogień, a pasemka ludzkiego ciała już tylko gdzieniegdzie przetykały nefryt.

– No, to jesteśmy na miejscu. Zadowolony? – Valiant stał wśród wierzb i wyskubywał z rękawów sierść jednorożców.

– Kto ci zdjął łańcuch? – Jakub próbował chwycić karła, lecz Valiant mu się wymknął.

– Serca kobiet na szczęście są wrażliwsze od kamienia w twojej piersi – wymruczał, gdy Klara niepewnie spojrzała na Jakuba.

– No i? Czemu się denerwujesz? Jesteśmy kwita, ale jednorożce rozdeptały mi cylinder. – Karzeł oskarżycielsko przesunął dłonią po odkrytej głowie. – Przynajmniej za tę stratę mógłbyś mi zapłacić!

– Kwita? Chcesz zobaczyć blizny na moich plecach? – Jakub pomacał ramię. Było zdrowe, jakby nigdy nie

walczył z Krawcem. – Zmiataj stąd – powiedział do karła.
– Zanim cię zastrzelę.

– Naprawdę? – Valiant spojrzał drwiąco w kierunku wyspy, która niknęła w zapadającym zmierzchu. – Jestem pewien, że twoje nazwisko na płycie nagrobnej znajdzie się szybciej niż moje. Łaskawa pani – zwrócił się do Klary – powinna pani pójść ze mną. To na pewno źle się skończy. Słyszała pani o Śnieżce, kobiecie, która mieszkała z kilkoma krasnalami, zanim związała się z przodkiem naszej cesarzowej? Była z nim ogromnie nieszczęśliwa i w końcu od niego uciekła. Z karłem!

– Naprawdę? – Wydawało się, że Klara nie słuchała opowieści Valianta.

Podeszła do porośniętego liliami brzegu jeziora, jakby o wszystkim zapomniała. Również o Willu, który stał zaledwie kilka kroków dalej. Pod wierzbami rosły dzwonki, granatowe jak wieczorne niebo. Gdy Klara jeden z nich zerwała, rozległo się ciche dzwonienie. Z twarzy Klary zniknął lęk i smutek. Valiant jęknął nerwowo.

– To czar nimf! – mruknął. – Lepiej będzie, jeśli się pożegnam.

– Zaczekaj! – powstrzymał go Jakub. – Na brzegu zawsze była łódź. Gdzie ona jest?

Gdy się odwrócił, karzeł zniknął już wśród drzew. Will wpatrywał się w swoje odbicie w wodzie. Jakub wrzucił kamień do ciemnej toni, jednak odbicie szybko powróciło, zniekształcone i przez to jeszcze straszniejsze.

– W wąwozie o mało cię nie zabiłem. – Głos Willa brzmiał tak twardo, że z trudem można go było odróżnić od głosu goyla. – Spójrz na mnie! Obojętne, co spodziewasz się tu znaleźć, dla mnie już jest za późno. Przyznaj to wreszcie.

Klara spoglądała ku nim. Czar nimf przywarł do jej twarzy jak kwiatowy pyłek. Tylko Will wydawał się go nie czuć.

„Gdzie twój brat, Jakubie? Gdzie go zostawiłeś?".

Szum liści brzmiał jak głos ich matki.

Will odsunął się od Jakuba, jakby w obawie, że brat znowu mógłby go uderzyć.

– Pozwól mi iść do nich – powiedział.

Słońce zniknęło za drzewami. Resztki jego promieni unosiły się na wodzie jak topniejące złoto. Pąki lilii rozchyliły się i powitały noc.

Jakub odciągnął brata od brzegu.

– Zaczekasz tu na mnie – odezwał się. – Nie ruszaj się z miejsca. Niedługo wrócę, przyrzekam.

Lisica przywarła do jego nóg i ze zjeżoną sierścią spoglądała na wyspę.

– Na co czekasz, Lisico? – zapytał Jakub. – Szukaj łodzi.

26
CZERWONA NIMFA

Lisica znalazła łódź. Tym razem nie poprosiła Jakuba, żeby ją zabrał. Gdy wsiadał, tak mocno ugryzła go w rękę, że krew spłynęła mu po palcach.

– Żebyś o mnie nie zapomniał! – Kłapnęła zębami, a w jej oczach widać było lęk, że tak jak trzy lata temu i tym razem całkiem się zatraci.

Gdy nimfy w lesie znalazły półżywego Jakuba, przegoniły Lisicę. Próbując podążyć za nim na wyspę, o mały włos się nie utopiła. Mimo to przez cały rok na niego czekała. On tymczasem zapomniał o niej i o całym świecie. I oto znowu tu siedziała, z futrem poczerniałym od mroku zapadającej nocy,

a on odpłynął daleko na jezioro. Klara również stała wśród wierzb i tym razem nawet Will odprowadzał go wzrokiem.

„Już dla mnie za późno".

Nawet fale uderzające o burtę wąskiej łódki powtarzały słowa brata. Któż jednak mógł zdjąć złe zaklęcie Czarnej Nimfy, jeżeli nie jej siostra? Jakub dotknął medalionu. Płatek kwiatu zerwał w dniu, gdy opuścił Mirandę. Dzięki niemu stał się dla niej niewidoczny, jakby wraz z miłością pozbył się ciała, które ją kochało. Tylko jeden płatek. Sama wyznała mu, że w ten sposób może się przed nią ukryć. Zakochane nimfy we śnie zdradzały wszystkie swoje tajemnice. Należało tylko zadać odpowiednie pytanie.

Na szczęście płatek sprawił, że Jakub był niewidoczny również dla pozostałych nimf. Gdy chował łódkę w przybrzeżnych trzcinach, cztery z nich stały w jeziorze. Ich długie włosy unosiły się na wodzie, lecz Mirandy wśród nich nie było. Jedna z nimf spojrzała w jego stronę i Jakub w myślach podziękował za kwiatowy dywan, po którym mógł stąpać cicho jak Lisica. Wiedział, że przemieniały mężczyzn w osty lub w ryby. Kwiaty miały błękitną barwę jak dzwonek zerwany przez Klarę. Nawet medalion nie mógł uchronić Jakuba przed napływem wspomnień, jakie wywoływał ich zapach.

„Jakubie, uważaj!".

Ucisnął palcami krwawy ślad, który zęby Lisicy pozostawiły mu na dłoni.

Niebawem ujrzał pierwszą z sieci rozpiętych wśród drzew przez służące nimfom ćmy. Sieci tworzyły namioty, cienkie jak skrzydła ważki. Nawet za dnia było w nich ciemno. Nimfy spały w nich tylko w ciągu dnia, lecz Jakub nie znał lepszego miejsca, gdzie mógłby poczekać na Mirandę.

Czerwona Nimfa. Tak ją nazwano, gdy Jakub po raz pierwszy o niej usłyszał. Pijany żołnierz opowiedział mu o przyjacielu, którego zwabiła na wyspę. Po powrocie z tęsknoty za nią się utopił. Wszyscy znali podobne historie o nimfach, mimo że niewielu miało kiedykolwiek okazję je zobaczyć. Niektórzy uważali, że ich wyspa to kraina umarłych, nimfy jednak nic nie wiedziały o ludzkiej śmierci i ograniczoności ludzkiego życia. Miranda Czarną Nimfę nazywała siostrą tylko dlatego, że obie tego samego dnia wynurzyły się z jeziora. Jak mogła więc zrozumieć, co czuł, gdy ciało jego brata zaczęło zamieniać się w kamień?

Rozpięty wśród drzew namiot, który przez cały rok był początkiem i końcem jego świata, przyklejał mu się do ubrania, gdy próbował torować sobie drogę wśród zwisających sieci. Jego oczy powoli przyzwyczajały się do ciemności i cofnął się zaskoczony, ujrzawszy postać śpiącą na znajomym łóżku z mchu.

Nie zmieniła się. One się nie starzały. Miała skórę bledszą od lilii na jeziorze i włosy ciemne jak ukochana przez nią noc. W ciemności jej oczy nabierały czarnej barwy, w ciągu dnia zaś były niebieskie jak niebo lub zielone jak woda w jeziorze, gdy odbijały się w niej liście wierzb. Była taka piękna. Zbyt piękna dla ludzkich oczu. Nietknięta przez czas i przemijanie.

Jakub wyciągnął spod koszuli medalion i zdjął go z łańcuszka. Miranda poruszyła się, gdy położył go obok niej. Zrobił krok do tyłu, gdy we śnie wyszeptała jego imię. To nie był dobry sen i w końcu, wystraszona, otworzyła oczy.

Była taka piękna. Jakub dotknął śladów zębów na dłoni.

– Od kiedy przesypiasz noc? – spytał.

Przez chwilę wydawało się, że traktuje go jak sen, z którego się obudziła. Potem jednak dostrzegła medalion. Otworzyła go i wyjęła płatek kwiatu.

– A więc tak się przede mną ukryłeś.

Jakub nie wiedział, co wyrażała jej twarz. Radość? Gniew? Miłość? Nienawiść? Może wszystko razem.

– Kto ci zdradził ten sposób? – spytała.

– Ty sama.

Chmara nocnych motyli fruneła mu w twarz, gdy zrobił krok w jej kierunku.

– Musisz mi pomóc, Mirando.

Wstała i zaczęła usuwać z ciała strzępki mchu.

– Przesypiałam noce, bo za bardzo mi ciebie przypominały. Ale to już minęło. Pozostał tylko zły nawyk.

Ćmy skrzydłami barwiły noc na czerwono.

– Widzę, że nie przyszedłeś sam – powiedziała, rozcierając palcami płatek lilii. – Przyprowadziłeś też goyla.

158

– To mój brat.

Tym razem ćmy pozwoliły Jakubowi podejść do niej.

– To złe zaklęcie nimfy, Mirando.

– Przychodzisz nie do tej, co trzeba.

– Musisz znać sposób na zdjęcie zaklęcia! – krzyknął.

Wydawało się, że jej postać jest utkana z otaczających ją cieni, światła księżyca i nocnej rosy na liściach. Był taki szczęśliwy, jakby cały świat zniknął, ale on istniał, a wraz z nim ból i zmartwienia.

– Moja siostra nie jest już jedną z nas. – Miranda odwróciła się do niego plecami. – Zdradziła nas dla goyla.

– No to mi pomóż! – Jakub wyciągnął do niej rękę, ale ją odepchnęła.

– Niby dlaczego?

– Musiałem odejść. Nie mogłem tu zostać na zawsze!

– Moja siostra też tak powiedziała. Nimfy jednak nie odchodzą. Należymy do miejsca, z którego powstałyśmy. Wiedziałeś o tym tak samo dobrze jak ja.

Była taka piękna. Wspomnienia rozwijały w ciemności sieć, w której kiedyś oboje się zaplątali.

– Pomóż mi, Mirando. Proszę!

Uniosła dłoń i palcami dotknęła jego ust.

– Pocałuj mnie.

Wydawało mu się, że całuje noc albo wiatr. Gryzły go ćmy, a wszystko, co stracił, w jego ustach miało smak popiołu. Gdy ją puścił, przez chwilę wydało mu się, że w jej oczach ujrzał swój koniec.

Gdzieś rozległo się szczekanie. Lisica twierdziła, że zawsze wyczuwa, gdy Jakub znajdzie się w niebezpieczeństwie.

Miranda odwróciła się od niego.

– Istnieje tylko jeden sposób na zdjęcie tego zaklęcia – powiedziała.

– Jaki?

– Musisz zniszczyć moją siostrę.

Serce Jakuba zamarło na chwilę, a potem ogarnął go przeraźliwy strach.

Czarna Nimfa.

„Przemieniała swoich wrogów w wino, które piła, lub w żelazo, z którego jej kochanek budował mosty".

Nawet głos Chanutego stawał się zachrypnięty ze strachu, gdy o niej wspominał.

– Jej nie można zabić – odparł. – Tak jak i ciebie.

– Nimfę mogą spotkać gorsze rzeczy niż śmierć. – Jej uroda przez chwilę przypominała piękno trującego kwiatu. – Ile czasu mu pozostało? – spytała.

– Dwa, może trzy dni.

W ciemności rozległy się głosy. Inne nimfy. Jakub nigdy się nie dowiedział, ile ich było.

Miranda patrzyła na łóżko, jakby wspominała ten czas, gdy je dzielili.

– Moja siostra jest u swojego ukochanego, w głównej twierdzy goylów – powiedziała.

To ponad sześć dni konnej jazdy.

Będzie za późno. O wiele za późno.

Jakub nie był pewien, czy przeważała w nim rozpacz, czy uczucie ulgi.

Miranda wyciągnęła rękę. Usiadła na niej ćma.

– Możesz zdążyć. – Ćma rozpostarła skrzydełka. – Jeżeli zyskam dla ciebie trochę czasu.

Lisica znowu zaczęła szczekać.

– Jedna z nas kiedyś rzuciła złe zaklęcie na królewnę. Dziewczyna miała umrzeć, gdy skończy piętnaście lat. Zmieniłyśmy śmierć w głęboki sen.

Jakub przypomniał sobie opustoszały zamek, obrośnięty kolczastymi krzewami, i nieruchomą postać w komnacie na wieży.

– Mimo to umarła – powiedział. – Bo nikt jej nie obudził.

Miranda wzruszyła ramionami.

– Ześlę sen na twojego brata. Musisz zadbać o to, żeby go obudzono. Nie wcześniej jednak, aż zniszczysz moc mojej siostry. – Ćma na jej dłoni czyściła skrzydełka. – Dziewczyna, która jest z wami, należy do twojego brata? – spytała.

Przesunęła nagą stopą po ziemi i w świetle księżyca pojawiła się twarz Klary.

– Tak – potwierdził Jakub i poczuł coś, czego nie zrozumiał.

– Ona go kocha?

– Tak. Tak myślę.

– Dobrze. W przeciwnym razie zasnąłby na śmierć.

Miranda starła obraz z księżycowego światła.

– Spotkałeś kiedyś moją siostrę? – spytała.

Jakub pokręcił głową. Widział nieostre zdjęcia, rysunek w gazecie – demoniczna kochanka, czarownica, która sprawia, że w ludzkim ciele wyrasta kamień.

– Jest najpiękniejsza z nas. – Miranda pogłaskała go po twarzy, jakby chciała przypomnieć sobie miłość, którą kiedyś czuła. – Nie patrz na nią zbyt długo – dodała cicho. – I choćby nie wiadomo co obiecywała, musisz zrobić dokładnie to, co powiem. Albo stracisz brata.

W nocnym powietrzu znowu rozległo się szczekanie Lisicy.

„Wszystko w porządku, Lisico – pomyślał Jakub. – Będzie dobrze".

Mimo że jeszcze nie wiedział, jakim sposobem.

Ujął rękę Mirandy. Sześć palców, bielszych od kwiatów lilii na jeziorze. Pozwoliła, żeby ją jeszcze raz pocałował.

– A jeżeli za udzieloną pomoc zażądam, żebyś do mnie wrócił? – szepnęła. – Zrobiłbyś to?

– Tego żądasz? – spytał, choć bał się odpowiedzi.

Uśmiechnęła się.

– Nie – odparła. – Będziemy kwita, gdy zniszczysz moją siostrę.

27
TAK DALEKO STĄD

Will ani na chwilę nie przestawał spoglądać na wyspę. Klara cierpiała, widząc strach na jego twarzy – strach przed samym sobą, przed tym, co Jakuba spotka na wyspie, a przede wszystkim strach, że jego brat nigdy nie wróci, a on zostanie sam w swoim kamiennym ciele.

Zapomniał o niej. Mimo to Klara do niego podeszła. Kamień nie mógł bez reszty pochłonąć tego, którego kochała i który był tak bardzo samotny.

– Jakub niedługo wróci, Will. Na pewno.

Nie spojrzał na nią.

– Jeśli chodzi o Jakuba, to nigdy nie wiadomo, kiedy wróci – powiedział tylko. – Uwierz mi, wiem, o czym mówię.

Stali tu obaj: obcy z groty, którego zimno nadal czuła, i ten drugi, który czekał na szpitalnym korytarzu przed salą matki i posyłał Klarze uśmiech, ilekroć ją widział. Will. Tak bardzo za nim tęskniła.

– Wróci – powtórzyła. – Wiem. I na pewno znajdzie jakiś sposób. Kocha cię. Mimo że niezbyt dobrze potrafi to okazać.

Will pokręcił głową.

– Nie znasz mojego brata – odparł i stanął tyłem do jeziora, jakby nie mógł znieść własnego odbicia. – Jakub nigdy nie umiał pogodzić się z tym, że sprawy czasem źle się kończą. Albo że traci się ludzi i rzeczy…

Odwrócił głowę, jakby sobie przypomniał o swoim wyglądzie. Klara jednak tego nie dostrzegała. Dla niej nadal była to kochana twarz. Usta, które tak często całowała. Nawet oczy, mimo złotej barwy, wciąż należały do niego. Gdy jednak wyciągnęła do Willa rękę, wzdrygnął się, jak wtedy w grocie, i noc rozdzieliła ich jak czarna rzeka.

Wyjął spod płaszcza pistolet, który dostał od Jakuba.

– Proszę, weź – powiedział. – Może ci się przydać, gdyby Jakub nie wrócił, a ja jutro zapomniałbym twoje imię. Gdybyś musiała zabić tego drugiego z twarzą z kamienia, wytłumacz sobie, że on to samo zrobił ze mną.

Chciała się odsunąć, lecz Will ją przytrzymał i wcisnął jej do ręki pistolet. Starał się nie dotknąć jej dłoni, lecz pogładził palcami jej włosy.

– Tak mi przykro – wyszeptał, po czym przeszedł obok niej i zniknął wśród wierzb.

Klara, stojąc bez ruchu, wpatrywała się w broń. Potem zbliżyła się do jeziora i wrzuciła pistolet do wody.

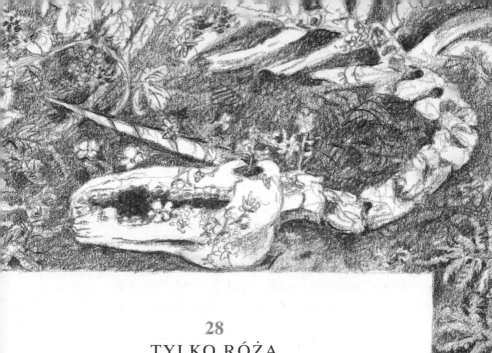

28
TYLKO RÓŻA

Jakub pozostał na wyspie przez całą noc, mimo że miała smak popiołu. Wyłowił z ciemności czarne włosy Mirandy i szukał pociechy w dotyku jej białej skóry. Pozwolił palcom, by wszystko sobie przypomniały, głowie zaś pozwolił zapomnieć. Niedaleko śmiały się i szeptały nimfy i Jakub zastanawiał się, czy Miranda by go ochroniła, gdyby odkryły jego obecność. Było mu to jednak obojętne. Tej nocy nic się nie liczyło. Nie było żadnego jutra. Żadnego wczoraj. Żadnych braci i ojców. Były tylko czarne włosy i biała skóra, i czerwone skrzydełka, które w ciemności wypisywały coś, czego nie rozumiał.

Gdy namiot nie mógł już uchronić ich przed nadejściem dnia, ugryzienie na dłoni Jakuba zaczęło boleć i wróciło wszystko: lęk, kamień, złoto w oczach Willa – i nadzieja, że znalazł sposób na to, by to wszystko skończyć.

Miranda nie zapytała, czy wróci. Zanim odszedł, kazała mu tylko powtórzyć, co powiedziała mu o swojej mrocznej siostrze. Każde słowo.

Brat. Siostra.

Lilie zamykały się już pod pierwszymi promieniami słońca. Jakub, idąc do łódki, nie widział żadnej nimfy. Tworząca się na powierzchni jeziora piana świadczyła jednak o tym, że wkrótce z wody narodzi się kolejna z nich.

Gdy Jakub dopłynął do brzegu, Willa nigdzie nie było. Klara spała pod wierzbą. Poderwała się gwałtownie, kiedy wciągał łódkę na brzeg. W porównaniu z urodą nimf wyglądała jak polny kwiat w bukiecie królewskich lilii. Najwyraźniej nie dostrzegała ani swojego zabrudzonego ubrania, ani liści we włosach. Jakub zobaczył na jej twarzy jedynie ulgę, że wrócił – i lęk o Willa.

„Twój brat będzie jej potrzebował. Ty też".

Lisica znowu miała rację. Jak zawsze. Tym razem, na szczęście, jej posłuchał.

Wyłoniła się spośród wierzbowych gałęzi. Futro miała zjeżone, jakby wiedziała, dlaczego wrócił dopiero teraz.

– To była długa noc – rzuciła gniewnie. – Przyglądałam się już rybom, czy któraś z nich przypadkiem cię nie przypomina.

– Wróciłem, prawda? – odpowiedział Jakub. – A ona mu pomoże.

– Dlaczego?

– Dlaczego? Czy ja wiem? Ponieważ wie jak. Ponieważ nie lubi swojej siostry. Wszystko mi jedno. Byle to zrobiła!

Lisica spojrzała na wyspę, nieufnie mrużąc oczy. Klara tymczasem poczuła tak wielką ulgę, że całe zmęczenie zniknęło z jej twarzy.

– Kiedy? – spytała.

– Wkrótce.

Lisica domyśliła się, że Jakub nie powiedział jej wszystkiego, lecz milczała. Wyczuła, że cała prawda mogła okazać się dla dziewczyny za trudna. Klara była zbyt szczęśliwa, żeby to zauważyć.

– Lisica podejrzewała, że o nas zapomniałeś – odezwał się Will, wychodząc spośród wierzb.

Jakub pomyślał ze strachem, że zbyt długo przebywał na wyspie. Nefryt pociemniał i zlał się z zielenią drzew, jakby tutejszy świat ostatecznie zagarnął Willa. Ale Jakub uwolni brata tą samą bronią, której wrogi świat użył przeciwko niemu: słowami nimfy.

– Musimy znaleźć różę.

– Różę? To wszystko?

Nefrytowa twarz Willa była nieprzenikniona. Znajoma i obca zarazem.

– Tak. Rośnie niedaleko stąd.

„A potem zaśniesz, bracie, a ja będę musiał odnaleźć Czarną Nimfę".

– Po prostu nie potrafisz sprawić, żeby to znikło – odparł Will.

Jego spojrzenie. Jakby nie pamiętał już niczego – poza tym, co kiedyś ich poróżniło.

– Dlaczego? – spytał Jakub. – Wiedziałem, że ona może ci pomóc. Po prostu rób, co powiem, a wszystko będzie dobrze.

Lisica nie spuszczała z niego wzroku.

„Co zamierzasz, Jakubie Reckless? – pytały jej oczy. – Ty się boisz".

„Co z tego, Lisico? – chciał odpowiedzieć. – Strach to w końcu znane wszystkim uczucie".

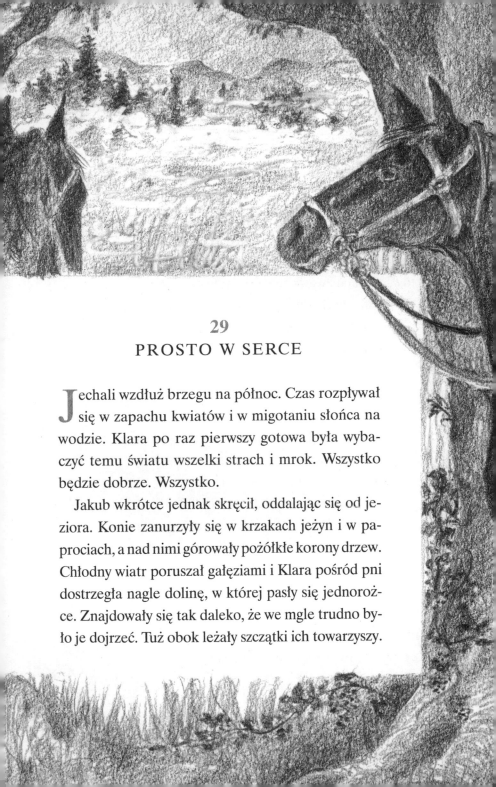

29
PROSTO W SERCE

Jechali wzdłuż brzegu na północ. Czas rozpływał się w zapachu kwiatów i w migotaniu słońca na wodzie. Klara po raz pierwszy gotowa była wybaczyć temu światu wszelki strach i mrok. Wszystko będzie dobrze. Wszystko.

Jakub wkrótce jednak skręcił, oddalając się od jeziora. Konie zanurzyły się w krzakach jeżyn i w paprociach, a nad nimi górowały pożółkłe korony drzew. Chłodny wiatr poruszał gałęziami i Klara pośród pni dostrzegła nagle dolinę, w której pasły się jednorożce. Znajdowały się tak daleko, że we mgle trudno było je dojrzeć. Tuż obok leżały szczątki ich towarzyszy.

Wszędzie widać było szkielety. Spomiędzy żeber wyrastały mech i trawa, w pustych oczodołach tkwiły pajęcze sieci, a z czaszek sterczały białe rogi. Cmentarz jednorożców. Może przychodziły tutaj, żeby umrzeć, bo pod osłoną drzew było im łatwiej. Może w chwili śmierci szukały bliskości nimf. Pędy z białymi kwiatkami wiły się wśród kości jak ostatnie pozdrowienie, przesłane przez nimfy swoim strażnikom.

Jakub zsiadł z konia i podszedł do jednego ze szkieletów. Z piersi zwierzęcia wyrastała czerwona róża.

– Will, chodź tutaj. – Jakub gestem przywołał brata.

Lisica wbiegła między drzewa i obserwowała jednorożce. Nieufnie uniosła pysk, wciągając w nozdrza wiatr.

– Pachnie goylami.

– No i co? Tuż za tobą stoi Will. – Jakub odwrócił się tyłem do doliny. – Will, zerwij różę.

Will wyciągnął rękę i zaraz ją cofnął. Potem obejrzał się na Klarę, jakby w jej twarzy szukał kogoś, kim kiedyś był.

„Will, proszę – pomyślała. Jeszcze raz. I jeszcze. – Zrób, co mówi twój brat!". I tu, gdzie spotyka się życie i śmierć, Will przez jedną bezcenną chwilę popatrzył na nią tak jak kiedyś. „Wszystko będzie dobrze".

Słychać było, jak łamie się zdrewniała łodyga, gdy zrywał różę. Jeden z kolców ukłuł go w palec i Will ze zdumieniem spoglądał na bursztynową krew wypływającą z rany. Upuścił różę i potarł dłonią czoło.

– Co to? – wyjąkał i spojrzał na brata. – Co zrobiłeś?

Klara wyciągnęła ku niemu rękę, ale Will się cofnął. Potknął się o jeden ze szkieletów. Pod jego butem kości pękły jak spróchniałe drewno.

– Will, posłuchaj! – Jakub chwycił go za rękę. – Musisz zasnąć. Potrzebuję czasu! Gdy się obudzisz, wszystko minie. Przyrzekam ci.

Will jednak odepchnął go z taką siłą, że Jakub wypadł spod kryjących go drzew. W oddali jednorożce czujnie uniosły łby.

– Jakubie! – zaszczekała Lisica. – Schowaj się między drzewami!

Jakub popatrzył za siebie. Ten obraz na zawsze pozostał w oczach Klary. Jego spojrzenie w tył. A potem strzał.

Ostry. Jak trzask łamanego drewna.

Kula trafiła Jakuba w pierś.

Lisica krzyknęła, gdy osunął się na pożółkłą trawę. Will podbiegł do niego, zanim Klara zdołała go zatrzymać. Upadł przed bratem na kolana, powtarzając jego imię, lecz Jakub się nie ruszał. Krew przesiąkała przez koszulę, tuż nad sercem.

Goyl wynurzył się z mgły jak zły sen. W ręce nadal trzymał strzelbę. Kulał. Obok niego szedł jeden z żołnierzy, dziewczyna, do której Jakub strzelił, gdy szablą zaatakowała Klarę. Jej mundur nosił ślady bezbarwnej krwi.

Lisica skoczyła na nich, szczerząc kły, ale goyl wymierzył jej kopniaka i Lisica zmieniła postać, jakby ból pozbawił ją futra. Skuliła się w trawie, płacząc, a Klara objęła ją ramionami.

Will podniósł się z twarzą wykrzywioną gniewem. Chciał sięgnąć po strzelbę, którą upuścił Jakub, ale zachwiał się jak odurzony, a goyl chwycił go i przystawił mu broń do głowy.

– Tylko spokojnie – powiedział.

Dziewczyna zaś wycelowała broń w Klarę.

– Miałem do wyrównania rachunek z twoim bratem, tobie jednak włos z głowy nie spadnie – dodał.

Lisica uwolniła się z ramion Klary i wyrwała Jakubowi zza pasa pistolet. Goyl jednak kopniakiem wytrącił jej go z dłoni. Will stał bez ruchu i patrzył na leżącego brata.

– Przyjrzyj mu się, Nesser – powiedział goyl i siłą obrócił twarz Willa do siebie. – Naprawdę rośnie mu nefryt.

Will próbował zadać mu cios głową w twarz, lecz nadal był jak odurzony. Goyl się zaśmiał.

– Tak, jesteś jednym z nas – oznajmił. – Choćbyś na razie nie chciał tego przyznać. Zwiąż mu ręce! – rozkazał dziewczynie. Potem podszedł do Jakuba, oglądając go jak myśliwy swoje trofeum. – Twarz wydaje mi się znajoma – zauważył. – Jak on się nazywa?

Will nie odpowiedział.

– Zresztą to nieważne – rzekł obojętnie goyl. – Wy, ludzie, wszyscy wyglądacie jednakowo. Złap ich konie – rozkazał dziewczynie i pchnął Willa w stronę klaczy Jakuba.

– Dokąd go zabieracie?

Klara nie poznawała własnego głosu.

Goyl nawet się nie odwrócił.

– Zapomnij o nim! – rzucił przez ramię. – Tak jak on zapomni o tobie.

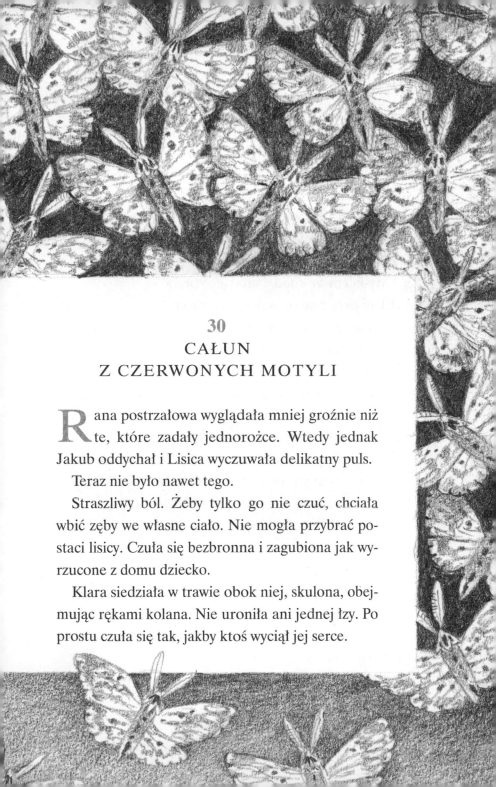

30
CAŁUN
Z CZERWONYCH MOTYLI

Rana postrzałowa wyglądała mniej groźnie niż te, które zadały jednorożce. Wtedy jednak Jakub oddychał i Lisica wyczuwała delikatny puls.

Teraz nie było nawet tego.

Straszliwy ból. Żeby tylko go nie czuć, chciała wbić zęby we własne ciało. Nie mogła przybrać postaci lisicy. Czuła się bezbronna i zagubiona jak wyrzucone z domu dziecko.

Klara siedziała w trawie obok niej, skulona, obejmując rękami kolana. Nie uroniła ani jednej łzy. Po prostu czuła się tak, jakby ktoś wyciął jej serce.

Ona pierwsza zobaczyła karła. Kroczył ku nim z tak niewinną miną, jakby spotkały go na grzybobraniu. Tylko on mógł zdradzić goylom, że cmentarz jednorożców to jedyne wyjście z krainy nimf.

Lisica otarła łzy i w wilgotnej trawie poszukała pistoletu Jakuba.

– Stać! Stać! Co to ma znaczyć? – krzyknął Valiant, gdy w niego wycelowała, i szybko ukrył się za najbliższym krzakiem. – Skąd mogłem wiedzieć, że od razu go zastrzelą? Myślałem, że chodzi im o jego brata!

Klara natychmiast zerwała się z ziemi.

– Zastrzel go, Lisico – powiedziała. – Jeżeli nie ty, ja na pewno to zrobię.

– Zaczekajcie! – wrzasnął karzeł. – Złapali mnie w drodze do wąwozu! Co miałem począć? Też dać się zabić?

– To dlaczego tu zostałeś? – natarła na niego Lisica. – Żeby wcześniej jeszcze obrabować zwłoki?

– Cóż za insynuacje! Jestem tu po to, żeby was uratować! – ze szczerym oburzeniem zaprotestował karzeł. – Dwie dziewczyny, zupełnie same i bezbronne…

– …tak bardzo bezbronne, że na pewno zapłacą ci za pomoc?

Milczenie, które nastąpiło, było bardzo wymowne i Lisica ponownie chwyciła pistolet. Gdyby tylko nie te przeklęte łzy. Przez nie wszystko się rozmywało: dolina, krzak, za którym przykucnął zdradziecki karzeł, i nieruchoma twarz Jakuba.

– Lisico!

Klara złapała ją za ramię. Na przestrzelonej piersi Jakuba usiadła czerwona ćma. Druga na jego czole.

Lisica opuściła broń.

– Jazda stąd! – krzyknęła głosem zdławionym przez łzy. – Przekaż swojej pani, że on już do niej nie wróci! – Pochyliła się nad Jakubem. – Nie mówiłam ci? – szepnęła. – Nie wracaj do nich! Tym razem cię zabiją!

Kolejna ćma przycupnęła na nieruchomej piersi Jakuba. Spośród drzew wyfruwało ich coraz więcej. Wyglądały jak kwiaty wyrastające z jego martwego ciała.

Lisica próbowała odpędzić ćmy, lecz było ich zbyt wiele. W końcu zrezygnowała i tylko patrzyła, jak skrzydełkami okrywały Jakuba, jakby Czerwona Nimfa nawet po śmierci chciała zatrzymać go dla siebie.

Klara uklękła obok Lisicy i objęła ją ramionami.

– Musimy go pochować.

Lisica uwolniła się z jej objęć i przycisnęła twarz do piersi Jakuba.

– Ja to zrobię. – Karzeł odważył się podejść bliżej. Podniósł upuszczoną przez Jakuba strzelbę i gołą ręką bez trudu rozpłaszczył lufę, jakby była kawałkiem surowego ciasta. – Co za marnotrawstwo! – zamruczał, formując ze strzelby łopatę. – Kilogram czerwonego chalcedonu i nikt na nim nie zarobi!

Kopał grób bez najmniejszego wysiłku, jakby robił to już nieraz. Lisica siedziała, obejmując Klarę, i patrzyła na nieruchomą twarz Jakuba. Ćmy nadal okrywały go jak całun. Karzeł odrzucił łopatę w trawę i otrzepał dłonie z ziemi.

– Dobra, wkładamy go – powiedział i pochylił się nad Jakubem. – Przedtem jednak sprawdźmy, co ma w kieszeniach. Mamy pozwolić, żeby piękne złote talary marniały w ziemi?

Lisicę natychmiast okryło futro.

– Nie dotykaj go! – fuknęła, usiłując dosięgnąć zębami chciwych palców Valianta.

„Ugryź go, Lisico. Gryź, najmocniej jak potrafisz. Może to złagodzi ból".

Karzeł próbował opędzić się od rozwścieczonego zwierza za pomocą strzelby, lecz Lisica rozerwała mu surdut i skoczyła do gardła. Klara chwyciła ją za futro i odciągnęła na bok.

– Lisico, zostaw go – szepnęła i przycisnęła mocno jej rozdygotane ciało. – On ma rację. Będziemy potrzebowały pieniędzy, broni Jakuba, kompasu… Wszystkiego, co miał przy sobie.

– Po co?

– Żeby odnaleźć Willa.

„O czym ona mówi?".

Karzeł uśmiechnął się sceptycznie.

– Will? Willa już nie ma.

Klara pochyliła się nad ciałem Jakuba i wsunęła rękę do kieszeni jego płaszcza.

– Damy ci wszystko, co ma przy sobie, jeżeli pomożesz nam odnaleźć jego brata. On by sobie tego życzył. – Wyjęła chusteczkę z kieszeni płaszcza Jakuba i na pierś upadły mu dwa złote talary. Ćmy frunęły w górę jak suche liście poderwane powiewem wiatru. – Dziwne, jak mało byli do siebie podobni – powiedziała Klara, odgarniając Jakubowi z czoła ciemne włosy. – Masz rodzeństwo, Lisico?

– Trzech braci.

Lisica potarła łbem o nieruchomą dłoń Jakuba. Ostatnia ćma poderwała się z jego piersi i odfrunęła. Przez martwe ciało przebiegł dreszcz. Usta próbowały nabrać powietrza, a palce wczepiły się w trawę.

„Jakub!".

Lisica rzuciła się na niego z takim impetem, aż jęknął.

Nie będzie grobu. Wilgotna ziemia nie przykryje mu twarzy! Gryzła go czule w policzki i podbródek. Mogłaby go pożreć z miłości.

– Lisico! Co ty wyrabiasz? – Jakub przytrzymał ją i usiadł.

Klara cofnęła się, jakby ujrzała ducha, a karzeł upuścił strzelbę.

Jakub zaś siedział i przyglądał się swojej zakrwawionej koszuli.

– Czyja to krew?

– Twoja! – Lisica przywarła do jego piersi, żeby posłuchać, jak bije mu serce. – Goyl cię zastrzelił!

Popatrzył na nią z niedowierzaniem. Potem rozpiął zakrwawioną koszulę. Nad sercem, w miejscu, gdzie była rana, widać było tylko bladoczerwony odcisk ćmy.

– Umarłeś, Jakubie. – Klara mówiła z trudem, jakby szukała każdej głoski. – Umarłeś.

Jakub dotknął śladu na piersi. Jeszcze nie całkiem odzyskał przytomność. Nagle obejrzał się, szukając czegoś.

– Gdzie Will?

Z wysiłkiem próbował się podnieść i za sobą zobaczył karła.

Valiant uśmiechnął się do niego szeroko.

– Ta nimfa istotnie musiała się w tobie mocno zadurzyć. Słyszałem, że potrafią ożywiać swoich ukochanych, ale że czynią to również dla tych, którzy od nich uciekli…

Pokręcił głową i podniósł z ziemi przerobioną na szpadel strzelbę.

– Gdzie mój brat? – Jakub zrobił krok w jego stronę, ale Valiant jednym susem przesadził grób i znalazł się na bezpiecznej pozycji po drugiej stronie.

– Wolnego, wolnego! – zawołał i podniósł wyżej strzelbę. – Jak mam ci odpowiedzieć, jeżeli przedtem skręcisz mi kark?

Klara wsunęła Jakubowi do kieszeni chusteczkę i dwa talary.

– Wybacz, ale nie wiedziałam, jak bez niego mam odszukać Willa. – Ukryła twarz na jego ramieniu. – Myślałam, że straciłam was obu.

Jakub pogładził ją po włosach, ale nie spuszczał z oka Valianta.

– Nie martw się. Odnajdziemy Willa. Przyrzekam ci. Karzeł nie jest nam do tego potrzebny.

– Czyżby? – Valiant obłamał rozpłaszczoną lufę jak spróchniałą gałązkę. – Wiozą twojego brata do królewskiej twierdzy. Ostatnim człowiekiem, który się tam zakradł, był cesarski szpieg. Zatopili go w bursztynie. Stoi obok głównej bramy. Okropny widok.

Jakub podniósł pistolet i wsunął go za pas.

– Ty, oczywiście, wiesz, jak tam wejść.

Valiant uśmiechnął się z takim samozadowoleniem, że Lisica ze złością wyszczerzyła zęby.

– Oczywiście.

Jakub przyglądał mu się jak jadowitemu gadowi.

– Ile?

Valiant naprawiał złamaną strzelbę.

– Złota jabłoń, którą ubiegłego lata sprzedałeś cesarzowej... Podobno zostawiłeś sobie odnóżkę.

Na szczęście nie zauważył spojrzenia, jakie Lisica rzuciła Jakubowi. Drzewo rosło za ruinami zamku, między budynkami spalonych stajni. Do tej pory jedyne złoto, jakie rodziło, to były brzydko pachnące kwiatki. Mimo to Jakub zawołał z oburzeniem:

– To zbójecka cena.

– Stosowna. – Oczy Valianta zalśniły, jakby już deszcz złota spadał mu na ramiona. – Lisica pokaże mi drzewo, nawet gdybyś nie wrócił żywy z twierdzy. Chcę, żebyś dał mi słowo honoru.

– Słowo honoru?! – warknęła Lisica. – Dziwi mnie, że jak to wymawiasz, nie parzy cię język!

Karzeł spojrzał na nią z pogardą. Jakub zaś wyciągnął do niego rękę.

– Daj słowo, Lisico – powiedział. – Cokolwiek się wydarzy, jestem pewien, że zasłuży sobie na to drzewo.

31
CIEMNE SZKŁO

Minęły godziny, zanim pieszo dotarli do drogi prowadzącej z doliny w góry. Jakub niósł Valianta na plecach, żeby ten dodatkowo nie opóźniał ich marszu. Jakiś chłop podwiózł ich furmanką do najbliższego miasteczka, w którym Jakub kupił dwa nowe konie i osła dla karła. Konie, choć niezbyt szybkie, były przyzwyczajone do stromych górskich ścieżek. Jakub zarządził przerwę dopiero wtedy, gdy w ciemności zaczęli gubić drogę.

Wybrali miejsce pod skalnym nawisem, który chronił ich przed zimnym wiatrem, i Valiant wkrótce już głośno chrapał, jakby leżał w miękkim łożu, z jakich słynęły pensjonaty karłów. Lisica pomknęła na polowanie, a Jakub poradził Klarze, żeby położyła się przy koniach i grzała ich ciepłem. Sam zaś z suchego drewna, zebranego wśród skał, rozpalił ogień, próbując odnaleźć choć cząstkę spokoju, którego zaznał na wyspie. Złapał się na tym, że co chwila dotyka zaschniętej krwi na koszuli. Pamiętał tylko pełne wyrzutu spojrzenie Willa, gdy ukłuła go róża, a potem rozradowany pysk Lisicy przy swojej twarzy. Pomiędzy jednym a drugim nie było nic, wyłącznie mglisty ślad bólu i ciemność.

I nie było brata.

„Gdy się obudzisz, wszystko minie. Przyrzekam ci".

„W jaki sposób, Jakubie?".

Choćby karzeł znowu ich nie zdradził, a on sam znalazł w twierdzy Czarną Nimfę. Jak miałby się do niej zbliżyć na tyle, żeby jej dotknąć lub wypowiedzieć słowa, które zdradziła mu jej siostra, zanim ona go zabije?

„Nie myśl, Jakubie. Po prostu to zrób".

Płonął z niecierpliwości, jak gdyby śmierć jeszcze bardziej zwiększyła jego wieczny niepokój. Chciał potrząsnąć karłem, obudzić go i jechać dalej.

„Dalej, Jakubie. Coraz dalej. Tak jak to czynisz od lat".

Podmuch wiatru wpadł w ognisko. Jakub zapiął płaszcz na zakrwawionej koszuli.

– Jakubie?

Za nim stała Klara. Okryła się końską derką. Zauważył, że urosły jej włosy.

– Jak się czujesz? – spytała.

W jej głosie nadal słychać było zdumienie, że Jakub żyje.

– Dobrze – odrzekł. – Chcesz mi sprawdzić puls, żeby się przekonać?

Uśmiechnęła się, lecz niepokój w jej oczach pozostał.

Nad nimi krzyknęła sowa. W tutejszym świecie sowy uważano za dusze zmarłych czarownic. Klara uklękła obok niego na ziemi, ogrzewając ręce nad ogniem.

– Nadal wierzysz, że możesz pomóc Willowi?

Wyglądała na straszliwie zmęczoną.

– Tak – potwierdził. – Ale uwierz mi, lepiej, żebyś więcej nie wiedziała. Tylko byś się przestraszyła.

Spojrzała na niego. Oczy miała tak samo niebieskie jak jego brat. Zanim ich błękit przykryło złoto.

– Dlatego nie powiedziałeś Willowi, po co ma zerwać różę? – Wiatr dmuchnął jej kilka iskier w twarz. – Myślę, że twój brat więcej wie o strachu niż ty.

Słowa. Nic więcej. Nagle jednak noc zamieniła się w ciemne szkło i Jakub ujrzał w nim swoje odbicie.

– Wiem, dlaczego tu jesteś. – Głos Klary był bezbarwny, jakby mówiła nie o nim, lecz o sobie samej. – Ten świat wywołuje w tobie mniej lęku niż tamten. Tu nie masz nic ani nikogo, kogo mógłbyś utracić. Oprócz Lisicy, ale ona bardziej się martwi o ciebie niż ty o nią. To, o co naprawdę się bałeś, zostawiłeś po tamtej stronie lustra. Potem jednak przyszedł Will i wszystko to sprowadził ze sobą. – Wstała i otrzepała ziemię z kolan. – Cokolwiek

187

zamierzasz, proszę, uważaj na siebie. Niczego nie naprawisz, dając się zabić za Willa. Jeżeli jednak istnieje jakiś sposób, jakikolwiek, żeby znowu stał się tym, kim był, pozwól mi pomóc! Nawet jeżeli uważasz, że się przestraszę. Nie tylko ty nie chcesz go stracić. Po cóż innego bym tu była?

Zanim odpowiedział, Klara odeszła. Jakub wolał, żeby była daleko stąd, choć cieszył się z jej obecności. I widział jej twarz w ciemnym szkle nocy. Wierną. Taką, jak ją namalowała.

32
RZEKA

Jechali jeszcze cztery dni, zanim dotarli do gór nazywanych przez goylów ojczyzną. Dni były chłodne, a noce mroźne. Ubrania mieli stale wilgotne od deszczu. Jeden z koni zgubił podkowę i musieli udać się do kowala. Ten opowiedział Klarze o Sinobrodym, który w sąsiedniej miejscowości kupił od rodziców trzy dziewczyny, niewiele starsze od niej. Potem w swoim zamku pozbawił je życia. Klara słuchała tego obojętnie, lecz Jakub wyczytał z jej twarzy, że własna historia wydaje się jej równie ponura.

– Co ona tu jeszcze robi? – spytał go po cichu Valiant, gdy któregoś ranka Klara ze zmęczenia ledwie zdołała wsiąść na konia. – Jak wy, ludzie, postępujecie ze swoimi kobietami? Jej miejsce jest w domu. Piękne suknie, służące, ciasto, miękkie łóżko, oto czego potrzebuje.

– I za męża karła, a w drzwiach złoty zamek, do którego tylko ty będziesz miał klucz – dodał Jakub.

– To coś złego? – rzucił pojednawczym tonem Valiant, posyłając Klarze zniewalający uśmiech.

Noce były tak zimne, że nocowali w gospodach. Klara dzieliła łóżko z Lisicą, podczas gdy Jakub leżał obok chrapiącego karła. Jednak nie tylko dlatego nie mógł spać. W snach dusiły go czerwone ćmy i gdy się budził zlany potem, w ustach miał smak krwi.

Wieczorem czwartego dnia zobaczyli wieże wybudowane przez goylów wzdłuż granicy. Były wąskie niczym stalagmity, miały chropowate mury i okna z onyksu. Valiant znał jednak sposób, by je ominąć.

Dawniej goyle w tej krainie byli prawdziwym postrachem. Wymieniano je jednym tchem z ludojadami i brunatnymi wilkami. Ich największa wina polegała na tym, że wyglądem zanadto przypominali ludzi. Byli znienawidzonymi braćmi bliźniakami. Kamiennymi kuzynami żyjącymi w ciemnościach. Nigdzie nie polowano na nich bardziej bezlitośnie niż w górach, z których się wywodzili. Teraz goyle odpłacali tą samą monetą. Ich panowanie nigdzie nie było tak bezwzględne jak w dawnej ojczyźnie.

Valiant unikał ulic uczęszczanych przez ich oddziały, mimo to co chwila natykali się na patrole. Karzeł przedstawiał Jakuba i Klarę jako bogatych klientów, zamierzających w pobliżu królewskiej twierdzy wybudować fabrykę szkła. Jakub kupił Klarze wyszywaną złotymi nićmi spódnicę, jakie nosiły zamożniejsze kobiety w tej okolicy. Dla siebie wybrał strój kupiecki. Sam siebie nie poznawał w płaszczu z futrzanym kołnierzem i w miękkich szarych spodniach. Klarze, w szerokiej spódnicy, jeszcze trudniej było jechać konno. Po usłyszeniu opowieści Valianta goyle za każdym razem jednak przepuszczali ich, przyzwalająco kiwając głową.

Pewnego wieczoru, gdy w powietrzu pachniało już pierwszym śniegiem, w końcu dotarli do rzeki, za którą znajdowała się królewska twierdza. Prom odbijał w Blenhajmie, miejscowości już wiele lat temu zajętej przez goylów. Prawie połowa domów miała zamurowane okna. Wiele ulic zostało zadaszonych dla ochrony przed światłem słonecznym. Za murem portowym znajdowało się strzeżone wejście świadczące o tym, że w Blenhajmie istniały już podziemne dzielnice.

Lisica zniknęła między domami, żeby schwytać którąś z chudych kur szukających pożywienia na wybrukowanych ulicach. Jakub, Valiant i Klara poszli tymczasem w stronę rzeki. Wieczorne niebo odbijało się w mętnej wodzie. Na drugim brzegu, na zboczu wzgórza, widniała kwadratowa brama.

– To wejście do twierdzy? – spytał Jakub karła.

Valiant pokręcił głową.

– Nie. To tylko jedno z miast, które założyli pod ziemią. Twierdza leży dalej w głębi lądu i tak głęboko pod ziemią, że nie ma tam czym oddychać.

Jakub uwiązał konie i razem z Klarą zszedł na pomost. Przewoźnik już zakładał łańcuch. Był prawie tak brzydki jak trolle na północy, które potrafiły wystraszyć własne odbicie w lustrze. Swoje najlepsze czasy prom już dawno miał za sobą. Jego płaski kadłub był obity metalem. Przewoźnik wykrzywił usta w pogardliwym uśmiechu, gdy Jakub spytał go, czy przed zapadnięciem nocy mógłby ich jeszcze przewieźć na drugą stronę.

– Ta rzeka po zapadnięciu zmroku nie jest zbyt gościnna. – Mówił tak głośno, jak gdyby chciał, żeby go słyszano na drugim brzegu. – A od jutra obowiązuje zakaz przewożenia pasażerów, ponieważ król opuszcza swoje gniazdo i jedzie na własny ślub.

– Ślub?

Jakub spojrzał pytająco na Valianta, ale ten milczał.

– Gdzieście byli, że nie wiecie? – zadrwił przewoźnik. – Wasza cesarzowa od kamiennych twarzy kupuje traktat pokojowy, oddając królowi córkę. Jutro wyjdą ze swoich dziur jak termity, a król diabelskim pociągiem uda się do Weny, żeby zabrać z sobą pod ziemię najpiękniejszą ze wszystkich księżniczek.

– Nimfa jedzie razem z nim? – spytał Jakub.

Valiant zerknął na niego z zainteresowaniem.

Przewoźnik tylko wzruszył ramionami.

– Jasne. Goyl nigdzie się bez niej nie rusza. Nawet na ślub z inną.

„I znowu czas ci ucieka, Jakubie".

Wsunął rękę do kieszeni.

– Przewoziłeś dzisiaj goyla oficera?

– Co? – Przewoźnik przyłożył rękę do ucha.

– Goyla, oficera. Jaspisowa skóra, półślepy na jedno oko. Miał z sobą jeńca.

Przewoźnik zerknął na strażnika goylów za murem, ten był jednak daleko i stał odwrócony do nich plecami.

– Dlaczego pytasz? Jesteś jednym z tych, którzy nadal na nich polują? – Przewoźnik mówił tak głośno, że Jakub spojrzał z niepokojem na strażnika. – Na tym jeńcu mógłbyś sporo zarobić. Takiego koloru jeszcze u żadnego z nich nie widziałem.

Jakub najchętniej trzasnąłby go w tę paskudną twarz. Zamiast tego wyjął z kieszeni złoty talar.

– Na drugim brzegu dostaniesz następny, jeżeli jeszcze dziś nas przewieziesz.

Przewoźnik chciwie spojrzał na pieniądz, Valiant jednak chwycił Jakuba za rękę i odciągnął go na bok.

– Poczekajmy do jutra! – syknął. – Robi się ciemno, a w rzece aż się roi od syren.

Syreny. Jakub spojrzał na wolno płynącą wodę. Babcia czasem śpiewała mu o jednej z ich, o imieniu Lorelei.

Słuchając tej piosenki, trząsł się ze strachu, ale opowieści, jakie tutaj krążyły o syrenach, wydawały się o wiele straszniejsze.

Nie miał jednak wyboru.

– Bez obawy! – Przewoźnik wyciągnął do niego pokrytą odciskami dłoń. – Nie obudzimy ich!

Gdy jednak Jakub włożył mu do ręki złoty talar, sięgnął do wypchanych kieszeni i podał jemu i Valiantowi woskowe zatyczki. Wyglądały tak, jakby wcześniej tkwiły w niejednym uchu.

– Na wszelki wypadek. Nigdy nie wiadomo. Pani tego nie potrzebuje! – Posłał Klarze bezczelny uśmiech. – Syreny uwzięły się tylko na mężczyzn.

Lisica pojawiła się dopiero w chwili, gdy na prom wprowadzali konie. Zanim wskoczyła do płaskiej łodzi, wyskubała sobie z futra kilka włosów. Konie były podenerwowane, lecz przewoźnik spokojnie wsunął złoty talar do kieszeni i odwiązał liny.

Prom wypłynął na rzekę. Za nimi zabudowania Blenhajmu zaczęły się rozpływać w mroku. W wieczornej ciszy słychać było tylko chlupot wody o burtę. Drugi brzeg powoli się przybliżał i przewoźnik z nadzieją mrugnął do Jakuba. Konie jednak nadal były pobudzone, a Lisica postawiła uszy.

Na rzece rozległ się głos.

Najpierw zabrzmiał jak śpiew ptaka, a potem coraz bardziej zaczął przypominać głos kobiety. Dochodził z głazu wznoszącego się ponad wodą po ich lewej stronie, szarego, jakby stworzył go zmierzch. Jakaś postać oderwała się od skały i zsunęła w głębinę. Po niej następna. Nadpływały zewsząd.

Valiant zaklął.

– A nie mówiłem? – natarł na Jakuba. – Szybciej! – krzyknął do przewoźnika. – Ruszaj się.

Ten jednak najwyraźniej nie słyszał ani karła, ani głosów, które kusząco niosły się po wodzie. Odwrócił się dopiero wtedy, gdy Jakub położył mu rękę na ramieniu.

– Nie słyszy! Ten drań jest głuchy jak pień! – krzyknął Valiant i szybko wetknął sobie do uszu woskowe zatyczki.

Przewoźnik tylko wzruszył ramionami i mocniej uchwycił ster. Jakub, zatykając uszy brudnym woskiem, pomyślał, ile to już razy tamten wracał bez pasażerów.

Konie się płoszyły. Ledwie dawał radę je utrzymać. Zniknęło ostatnie światło dnia, a drugi brzeg przybliżał się wolno, jakby prąd znosił ich z powrotem. Klara stanęła tuż obok Jakuba, Lisica zajęła obronną pozycję przed nim, mimo że futro jeżyło się jej ze strachu. Śpiew stał się tak głośny, że Jakub słyszał go mimo zatkanych uszu. Wabił go do wody. Klara odciągnęła go od relingu, lecz śpiew przenikał przez skórę jak słodka trucizna. Z fal wynurzyły się głowy. Włosy unosiły się na wodzie jak wodorosty. Gdy Klara na chwilę puściła Jakuba, żeby zatkać dłońmi obolałe uszy, jego palce mimowolnie wyjęły zatyczki i wyrzuciły je za burtę.

195

Śpiew przeszył jego mózg niczym zanurzone w miodzie ostrza noży. Gdy podszedł do krawędzi łodzi, Klara znowu spróbowała go przytrzymać, lecz Jakub odepchnął ją tak mocno, że wpadła na przewoźnika.

Gdzie one są? Wychylił się za burtę. Najpierw ujrzał tylko własne odbicie. Po chwili zasłoniła je czyjaś twarz. Wyglądała jak kobieta, ale była bez nosa, miała za to srebrne oczy i kły wystające na bladozielone wargi. Z wody wysunęły się ręce, a ich palce owinęły się wokół nadgarstka Jakuba. Druga dłoń chwyciła go za włosy. Woda wlewała się przez burtę. Były wszędzie, wyciągały po niego ramiona, wynurzając swoje na wpół rybie ciała i szczerząc kły. Syreny. O wiele gorsze niż w piosence. Rzeczywistość zawsze jest gorsza.

Lisica wbiła zęby w jedną z pokrytych łuskami rąk trzymających Jakuba, ale inne syreny wyciągały go przez burtę. Bronił się, lecz tracił równowagę. Wtem rozległ się wystrzał i jedna z syren znikła w ciemnej wodzie.

Za nim stała Klara, z pistoletem w ręku. Trafiła kolejną syrenę próbującą wciągnąć do wody karła. Przewoźnik dwie zabił nożem, Jakub zastrzelił jedną, która wczepiła palce w futro Lisicy. Gdy martwe ciała uniosła rzeka, inne syreny uciekły i rzuciły się na swoje towarzyszki.

Widząc to, Klara upuściła pistolet. Ukryła twarz w dłoniach, podczas gdy Jakub i Valiant chwytali spłoszone konie za uzdy, a przewoźnik kołyszącą się łódź kierował w stronę pomostu. Syreny wściekle wrzeszczały za nimi, lecz ich głosy brzmiały już tylko jak stado skrzeczących mew.

Krzyczały jeszcze, gdy sprowadzali konie na brzeg. Przewoźnik stanął naprzeciwko Jakuba i wyciągnął dłoń. Valiant odepchnął go tak mocno, że tamten o mało nie wpadł do rzeki.

– Ach, czyli usłyszałeś o drugim talarze! – odezwał się ze złością. – A może oddasz nam ten pierwszy, chyba że każesz sobie płacić za dostarczanie syrenom kolacji?

– Czego chcecie, przecież was przewiozłem! – bronił się przewoźnik. – Przeklęta nimfa je nasłała. Czy przez to mam stracić pracę? Poza tym umowa to umowa.

– Już dobrze – powiedział Jakub i wyjął z kieszeni drugi talar. Dotarli na brzeg, a to było najważniejsze. – Czy jest jeszcze coś, przed czym powinniśmy się strzec? – spytał.

Valiant nie spuszczał z oka talara, aż zniknął w brudnej kieszeni przewoźnika.

– Czy ten karzeł opowiadał wam już o tutejszych smokach? – spytał przewoźnik. – Są czerwone jak ogień, którym zieją, a kiedy krążą nad górami, przez całe dnie płoną zbocza.

– Tak, słyszałem o tym – potwierdził Valiant i rzucił Jakubowi wymowne spojrzenie. – Czyż nie opowiadacie też dzieciom, że na tym brzegu mieszkają olbrzymy? To zwykłe zabobony – dodał i zniżył głos. – Mam ci wyjawić, gdzie naprawdę jest smok?

Przewoźnik z zaciekawieniem pochylił się ku niemu.

– Widziałem go na własne oczy! – krzyknął mu Valiant do przygłuchego ucha. – W gnieździe zbudowanym z kości, tylko dwie mile w górę rzeki. Był zielony, a z jego okropnej paszczy zwisała noga, tak samo chuda jak twoje! Do stu diabłów, powiedziałem sobie, że nigdy nie chciałbym mieszkać w Blenhajmie, bo któregoś dnia bestia mogłaby wpaść na pomysł, żeby pofrunąć w dół rzeki!

Oczy przewoźnika zrobiły się wielkie jak złote talary Jakuba.

– Dwie mile? – Spojrzał z troską w górę rzeki.

– Tak, może nawet mniej! – Valiant wcisnął mu do ręki brudne woskowe zatyczki. – Powodzenia w drodze powrotnej.

– Niezła historia! – szepnął Jakub, gdy karzeł wsiadał na swojego osła. – Co zrobisz, jeżeli ci powiem, że naprawdę widziałem smoka?

– Powiem, że jesteś kłamcą – odrzekł cicho Valiant.

Za nimi nadal krzyczały syreny. Gdy Jakub pomagał Klarze wsiąść na konia, zauważył ślady pazurów na jej ramieniu. Mimo to w jej oczach nie było pretensji, że nakłaniał ich do przejazdu na drugi brzeg.

– Co tak wąchasz? – spytał Lisicę.

– Czuję obecność goylów – odpowiedziała. – Jest tu wszędzie ich zapach. Jakby powietrze się z nich składało.

33
TAK BARDZO SENNY

Will chciał spać. Tylko spać i zapomnieć o krwi na koszuli Jakuba. Nie czuł już upływu czasu, podobnie jak nie czuł własnego ciała ani serca. Jego brat nie żył. Tylko ten obraz przenikał do jego snu. I głosy. Jeden zachrypnięty. Drugi jak woda. Chłodna, ciemna woda.

– Otwórz oczy – powiedziała, ale on nie mógł tego zrobić.

Mógł tylko spać.

Nawet jeżeli musiał widzieć tę krew.

Czyjaś dłoń pogładziła go po twarzy. Nie kamienna, lecz miękka i chłodna.

– Obudź się, Will.

On jednak chciał się obudzić dopiero wtedy, gdy wróci do świata, w którym krew na piersi Jakuba będzie wyłącznie snem, podobnie jak ciało z nefrytu i obcy, który się w nim budził.

– Był u naszej pani, Czerwonej Nimfy.

Głos zabójcy. Will zapragnął pazurami rozszarpać jego jaspisową skórę i patrzeć na niego, leżącego bez ruchu jak jego brat. Sen jednak trzymał go w swojej mocy, unieruchamiał ręce i nogi skuteczniej niż jakiekolwiek więzy.

– Kiedy?

Gniew. Will wyczuł go jak lodowate ostrze.

– Dlaczego go nie zatrzymałeś?

– Jak? Nie zdradziłaś mi, pani, jak ominąć jednorożce! Nienawiść. Jak ogień w starciu z lodem.

– Jesteś silniejsza, pani, niż twoja siostra. Po prostu cofnij to, co ona z nim zrobiła.

– To czar różanego kolca! Nikt nie może go cofnąć. Była przy nim dziewczyna. Gdzie jest teraz?

– Nie miałem rozkazu jej tu sprowadzać.

Dziewczyna. Jak wyglądała? Will już nie pamiętał. Krew rozmyła jej twarz.

– Przyprowadź ją! Od tego zależy życie twojego króla.

Will ponownie poczuł na twarzy dotyk palców. Miękkich i chłodnych.

– Nefrytowa tarcza. Z ciała jego wroga. – Jej głos głaskał mu skórę. – Moje sny nigdy nie kłamią.

34
SKOWRONKOWA WODA

Valiant jakiś czas prowadził ich pewnie po ciemku. Gdy jednak zbocza po obu stronach stały się bardziej dzikie, a droga zgubiła się wśród drobnych kamieni i gęstwiny kłujących krzewów, karzeł zatrzymał osła i rozejrzał się bezradnie.

– Co? – zapytał Jakub i zrównał się z nim. – Nie mów tylko, że zabłądziłeś.

– Ostatnim razem byłem tu za dnia! – rzucił z rozdrażnieniem Valiant. – Jak mam znaleźć ukryte wejście, gdy jest ciemniej niż w tyłku olbrzyma? To musi być gdzieś tutaj!

Jakub zsiadł z konia i podał Valiantowi latarkę.

– Proszę! – powiedział. – Znajdź je. W miarę możności jeszcze tej nocy.

Zdziwiony karzeł badał ciemność światłem latarki.

– Co to jest? Jakieś czary?

– Coś w tym rodzaju – odrzekł Jakub.

Valiant poświecił w dół zbocza ginącego w gęstwinie po lewej stronie.

– Przysiągłbym, że to jest tam na dole.

Lisica przyglądała mu się nieufnie, gdy ruszył zboczem.

– Idź z nim – powiedział Jakub. – Bo jeszcze się zgubi.

Lisica nie była zachwycona tym pomysłem, w końcu jednak pobiegła za karłem.

Klara zsiadła z konia i przywiązała go do najbliższego drzewa. Złote nici na jej spódnicy lśniły w świetle księżyca. Jakub zerwał kilka liści dębu i podał jej.

– Rozetrzyj je w dłoniach i pogładź nimi spódnicę.

Klara usłuchała i nici zbladły, jakby starła złoto z niebieskiej materii.

– Przędza elfów – powiedział Jakub. – Przepiękna. Ale każdy goyl dostrzegłby cię już na kilometr.

Klara przesunęła dłońmi po jasnych włosach, jakby chciała zmienić również ich kolor.

– Chcesz sam pójść do twierdzy? – spytała.

– Tak.

– Nie żyłbyś już, gdybyś na rzece był sam! Pozwól, bym poszła z tobą. Proszę.

Jakub pokręcił głową.

– To zbyt niebezpieczne. Jeżeli coś ci się stanie, Will będzie zgubiony. Wkrótce będziesz mu znacznie bardziej potrzebna niż ja.

– Dlaczego?

Było tak zimno, że z jej ust wydobywały się obłoczki pary.

– Będziesz musiała go obudzić.

– Obudzić? – Chwilę trwało, zanim zrozumiała. – Róża... – wyszeptała.

„Książę pochylił się nad nią i obudził ją pocałunkiem".

Nad nimi unosiły się sierpy dwóch księżyców, wąskie, jakby w ciągu nocy wychudły z głodu.

– Dlaczego uważasz, że mogę go obudzić? Twój brat już mnie nie kocha! – Mówiąc to, starała się ukryć ból.

Jakub zdjął płaszcz nadający mu wygląd bogatego kupca. Jedyni ludzie w twierdzy byli niewolnikami i z pewnością nie nosili kołnierzy obszytych futrem.

– Ale ty go kochasz – odrzekł. – To musi wystarczyć.

Klara przez chwilę milczała.

– A jeżeli nie? – odezwała się w końcu. – Jeżeli to nie wystarczy?

Nie musiał odpowiadać. Oboje pamiętali zamek Śpiącej Królewny i przysypane liśćmi martwe ciała.

– Ile czasu trwało, zanim Will cię zapytał, czy się z nim umówisz? – rzekł Jakub, wkładając swój stary płaszcz.

To wspomnienie sprawiło, że z twarzy Klary zniknął strach.

– Dwa tygodnie. Myślałam, że już nigdy nie zapyta. Tymczasem codziennie widywaliśmy się w szpitalu, gdy odwiedzał waszą mamę.

– Dwa tygodnie? To szybko jak na Willa.

Za nimi coś zaszeleściło i Jakub sięgnął po pistolet, ale to tylko borsuk szukał drogi w zaroślach.

– Dokąd poszliście?

– Do kawiarni w szpitalu. Niezbyt romantyczne miejsce. – Klara się uśmiechnęła. – Opowiedział mi o potrąconym przez samochód psie, którego znalazł. Przyprowadził go na nasze kolejne spotkanie.

Jakub zaczął zazdrościć Willowi, ujrzawszy wyraz jej twarzy.

– Poszukajmy wody – powiedział tylko i szybko odwiązał konie.

Obok jeziorka, na które się natknęli, stał porzucony wóz. Koła ugrzęzły w przybrzeżnym mule i na zbutwiałych deskach żuraw zbudował sobie gniazdo. Spragnione konie zanurzyły pyski w wodzie, a osioł Valianta wszedł do niej aż po kolana. Gdy Klara również chciała się napić z jeziorka, Jakub odciągnął ją od brzegu.

– Wodniki – powiedział. – Ten wóz prawdopodobnie należał do jakiejś chłopskiej córki. Te stwory bardzo chętnie biorą sobie za żony kobiety. W tej okolicy na pewno długo już czekają na ofiarę.

Gdy Klara oddaliła się od brzegu, Jakub odniósł wrażenie, że słyszy ciężkie westchnienia wodników. Były dość paskudne, lecz nie pożerały swoich ofiar, jak to robiły syreny. Wciągały dziewczęta do grot, w których mogły oddychać, karmiły je i znosiły im prezenty. Muszle, rzeczne perły, biżuterię topielców... Jakub przez jakiś czas pomagał zrozpaczonym rodzicom porwanych córek. Wyprowadził na światło dzienne trzy dziewczyny, biedne obłąkane istoty, które nigdy tak naprawdę nie opuściły ciemnych jaskiń, gdzie miesiącami, pośród pereł i rybich ości, znosiły błotniste pocałunki zakochanego wodnika. Raz rodzice odmówili zapłaty, ponieważ nie rozpoznali własnej córki.

Jakub pozwolił koniom dalej pić i ruszył na poszukiwanie strumienia zasilającego leśne jeziorko. Już po chwili znalazł wąski potoczek wypływający ze skalnej szczeliny. Zdjął z powierzchni zwiędłe liście i Klara napełniła dłonie lodowatą wodą. Miała świeży, leśny smak. Jakub dostrzegł ptaki dopiero wówczas, gdy Klara i on już się napili. Między mokrymi kamieniami, przytulone do siebie, utknęły dwa martwe skowronki. Wypluł resztkę wody i poderwał Klarę na nogi.

– Co się stało? – spytała wystraszona.

Pachniała jesienią i wiatrem.

„Jakubie, nie".

Jednak było już za późno. Klara nie broniła się, gdy ją przyciągnął do siebie. Wsunął palce w jej włosy, pocałował ją w usta i poczuł jej mocno bijące serce. Skowronkom malutkie serca pękły z powodu szalonego lotu, stąd nazwa: skowronkowa woda. Nie budziła podejrzeń, była chłodna i czysta, ale wystarczył łyk i zguba gotowa.

„Puść ją, Jakubie".

On jednak całował, a Klara szeptała jego imię, nie Willa.

– Jakubie!

Kobieta czy lisica? Przez chwilę jedna i druga. Ale to lisica ugryzła go tak mocno, że puścił Klarę, choć ponad wszystko pragnął nadal trzymać ją w objęciach.

Klara, chwiejąc się, cofnęła się i otarła dłonią usta, jakby można było zetrzeć z nich pocałunki.

– No i proszę! – Valiant oświetlił ich latarką i uśmiechnął się szelmowsko do Jakuba. – Czyżby to znaczyło, że zapominamy o twoim bracie?

Lisica spojrzała na niego, jakby wymierzył jej kopniaka. Człowiek i zwierzę, lisica i kobieta. Nadal była jednym i drugim, jednak w lisiej postaci pobiegła do strumyka i przyglądała się martwym ptakom.

– Od kiedy jesteś aż tak głupi, żeby pić skowronkową wodę?

– Do licha, było ciemno, Lisico.

Serce nadal waliło mu jak młotem.

– Skowronkowa woda? – Klara drżącymi rękami poprawiała włosy, unikając jego wzroku.

– Tak. Okropność. – Valiant posłał jej przesadnie współczujący uśmiech. – Po jej wypiciu człowiek rzuca się nawet na najbrzydszą dziewczynę. Karły są na to odporne. Ale, niestety – kontynuował, spoglądając bezczelnie na Jakuba – nie ja tu byłem, lecz on.

– Jak długo to działa? – ledwie słyszalnie zapytała Klara.

– Niektórzy twierdzą, że działanie ustaje po jednorazowym wybuchu. Inni są zdania, że utrzymuje się miesiącami. Czarownice zaś – Valiant zjadliwie uśmiechnął się do Jakuba – uważają, że woda ujawnia jedynie to, co już od dawna istnieje.

– Najwyraźniej wiesz wszystko o skowronkowej wodzie. Nabierasz jej do butelek i handlujesz nią? – dogryzł mu Jakub.

Valiant z żalem wzruszył ramionami.

– Niestety, jej działanie jest nietrwałe. I zbyt nieprzewidywalne. Szkoda. Wyobrażasz sobie, jaki interes można by na tym zrobić?

Jakub poczuł na sobie spojrzenie Klary, lecz odwróciła głowę, gdy tylko na nią popatrzył. Pod palcami nadal czuł jej skórę.

„Przestań, Jakubie".

– Znaleźliście wejście? – spytał Lisicę.

– Tak. – Odwróciła się do niego tyłem. – Tam pachnie śmiercią.

– Cóż znowu. – Valiant pogardliwie machnął ręką. – To naturalny tunel, który łączy się z jedną z ich podziemnych ulic. Większości tuneli pilnują, ale ten jest raczej bezpieczny.

– Raczej? – Jakubowi wydało się, że poczuł blizny na plecach. – Skąd o tym wiesz?

Valiant wzniósł oczy ku niebu z powodu takiego braku zaufania.

– Ich król zabronił sprzedaży niektórych kamieni półszlachetnych, na które jest duży popyt. Jednak wśród jego poddanych są na szczęście osoby równie mocno jak ja zainteresowane zdrową wymianą handlową.

– Powtarzam, że tam pachnie śmiercią.

Głos Lisicy był bardziej zachrypnięty niż zazwyczaj.

– Możecie też skorzystać z głównego wejścia! – zadrwił Valiant. – Może Jakub Reckless będzie jedynym człowiekiem, któremu uda się wejść do królewskiej twierdzy goylów i nie zostanie zatopiony w bursztynie.

Klara schowała dłonie za plecami, jakby w ten sposób mogła ukryć, kogo niedawno dotykały.

Jakub starał się na nią nie patrzeć. Załadował pistolet i z torby przy siodle wyjął kilka rzeczy: lunetę, tabakierkę, flaszeczkę z zielonego szkła i nóż Chanutego. Potem napełnił kieszenie płaszcza amunicją.

Lisica siedziała pod krzakiem. Skuliła się, gdy do niej podszedł. Jak wtedy, gdy ją znalazł w sidłach.

– Uważajcie na patrole goylów – powiedział. – Najlepiej ukryjcie się wśród skał. Jeżeli nie wrócę do jutra wieczór, zaprowadź ją do ruin.

Ją. Nie miał odwagi wymówić imienia Klary.

– Nie chcę z nią zostać.

– Lisico, proszę.

– Tym razem już nie wrócisz.

Wyszczerzyła zęby, ale go nie ugryzła. W jej kąśnięciach zawsze czuć było miłość.

– No, dalej, Reckless. – Karzeł niecierpliwie przytknął mu rękojeść strzelby do pleców. – A ja myślałem, że ci się spieszy.

Valiant przerobił strzelbę na przedziwną broń. Mówiono, że metal w rękach karłów potrafi wypuścić korzenie.

Jakub się podniósł.

Klara nadal stała nad strumieniem. Odwróciła się, gdy do niej podszedł. Jakub pociągnął ją z sobą. Jak najdalej od karła. Jak najdalej od Lisicy i jej gniewu.

– Spójrz na mnie. – Chciała się wyswobodzić, lecz on trzymał ją mocno, mimo że serce od razu zaczęło mu szybciej bić. – To nic nie znaczy, Klaro. Absolutnie nic!

Jej oczy pociemniały ze wstydu.

– Kochasz Willa, słyszysz? Jeżeli o tym zapomnisz, nie będziemy mogli mu pomóc. My ani nikt inny.

Skinęła głową, ale Jakub w jej oczach widział to samo szaleństwo, które sam nadal czuł.

„Jak długo to działa?".

– Pytałaś, co zamierzam zrobić. – Ujął jej rękę. – Muszę odnaleźć Czarną Nimfę i zmusić ją, żeby zwróciła Willowi jego dawną postać. – Dostrzegł strach w jej oczach i ostrzegawczo położył palce na jej ustach. – Lisica nie może się o tym dowiedzieć – szepnął. – W przeciwnym razie pójdzie za mną. Przysięgam ci: znajdę nimfę, ty obudzisz Willa i wszystko będzie dobrze.

Chciał ją objąć. Nigdy niczego bardziej nie pragnął.

Gdy ruszył w ciemność za Valiantem, już się nie obejrzał. Lisica za nim nie poszła.

35
WE WNĘTRZU ZIEMI

Lisica miała rację. W jaskini, do której Valiant zaprowadził Jakuba, wyczuwało się zapach śmierci. Nie trzeba było mieć czułego lisiego nosa, żeby go zwietrzyć. Wystarczyło jedno spojrzenie i Jakub wiedział, czyja to była siedziba.

Ziemia usiana była kośćmi. Ludojady żyły wśród resztek jedzenia, lecz ich nazwa wprowadzała w błąd. Nie gardziły też goylami ani karłami. Kim były ich ofiary, zdradzały przedmioty leżące wśród kości: zegarek kieszonkowy, rozszarpany rękaw sukni, mały dziecięcy bucik, notes z kartkami pokrytymi zeschłą krwią. Przez chwilę Jakub pragnął zawrócić, żeby ostrzec Klarę, lecz karzeł pociągnął go dalej.

– Bez obaw – syknął Valiant. – Goyle dawno wybiły wszystkie ludojady w tej okolicy. Na szczęście jednak nie odkryły tego tunelu.

Szczelina w skalnej ścianie, w której zniknął, dla karła była wystarczająco szeroka, ale Jakub z trudem się przez nią przeciskał. Tunel po drugiej stronie był tak niski, że przez pierwsze metry nie mógł się wyprostować. Prowadził też stromo w dół. W wąskim przejściu Jakubowi trudno było oddychać i poczuł ulgę, gdy wreszcie natknęli się na jedną z podziemnych ulic łączących twierdze goylów. Była szeroka jak ulice w świecie ludzi. Wyłożono ją fosforyzującym brukiem, lśniącym matowo w świetle latarki. Jakubowi wydawało się, że w oddali słyszy pracujące maszyny i jakby brzęczenie os nad łąką pełną spadłych owoców.

– Co to? – spytał karła przyciszonym głosem.

– Owady, które czyszczą ścieki goylów. Ich miasta pachną znacznie lepiej od naszych. – Valiant wyjął z kurtki ołówek. – Pochyl się. Otrzymasz swój symbol niewolnika. P jak Prussan – szepnął, wypisując na czole Jakuba goylowską literę. – Gdyby cię zapytano, to jest nazwisko twojego pana. Prussan jest kupcem, z którym prowadzę interesy. Jego niewolnicy są jednak znacznie bardziej czyści od ciebie i na pewno nie noszą za pasem broni. Lepiej mi ją oddaj.

– Dziękuję, ale nie – odparł cicho Jakub i zapiął płaszcz, zakrywając pas. – Jeżeli mnie zatrzymają, nie chcę być zdany na ciebie.

Następna ulica, do której dotarli, była szeroka jak aleje cesarskiej stolicy, lecz nie otaczały jej drzewa, tylko skalne ściany. Gdy Valiant oświetlił je latarką, z ciemności wyłoniły się twarze. Jakub uważał za bajki opowieści o tym, że goyle czcili swoich bohaterów, budując z ich głów mury twierdz. Najwyraźniej jednak ta baśń, jak wszystkie inne, miała swoje ponure, prawdziwe źródło. Z góry spoglądały na nich setki zmarłych. Tysiące. Głowa przy głowie. Groteskowe kamienie. Ich twarze, jak u wszystkich goylów, po śmierci się nie zmieniały. Jedynie zgasłe oczy zostały zastąpione złotym topazem.

Valiant na krótko zatrzymał się w alei zmarłych. Skręcił do tuneli, które, wąskie jak górskie ścieżki, wiły się w dół, coraz głębiej i głębiej pod ziemię. Jakub na końcu bocznego tunelu coraz częściej dostrzegał światło lub wyczuwał wibrację silników. Kilka razy na wprost nich rozlegał się stukot kopyt lub turkotanie wozu. Na szczęście jednak wzdłuż ulic stale pojawiały się ciemne jaskinie, gdzie mogli się schronić w gęstwinie stalagmitów i skalnych sopli.

Wszędzie słychać było kapanie wody. Nie było przed nią ucieczki. W ciemności kryły się cuda, które jej krople kształtowały przez tysiąclecia: tryskające ze ścian stężałe białe wapienne kaskady, lasy sopli zwisające ze sklepienia, kwitnące w mroku kryształowe kwiaty. W wielu jaskiniach nie napotkali żadnych goylów. Widać było tylko prostą ścieżkę prowadzącą przez kamienny gąszcz albo kwadratowe wejście do tuneli w skalnej ścianie. W innych grotach pojawiały się kamienne fasady lub mozaiki. Najwyraźniej jednak pochodziły z dawniejszych czasów – ruiny wśród kolumn wzniesionych przez czas.

Jakubowi wydawało się, że już kilka dni błądzą w podziemnym świecie, gdy nagle rozwarła się przed nimi jaskinia. Na jej dnie lśniło jezioro. Ściany porastały rośliny obywające się bez słońca, a nad wodą wznosił się długi most utworzony przez wzmocniony żelazem skalny łuk. Każdy postawiony na moście krok rozlegał się zdradzieckim echem w ogromnej grocie i płoszył stada nietoperzy zwisających pod sklepieniem.

Dotarli dopiero do połowy mostu, gdy Valiant nagle się zatrzymał i Jakub wpadł na niego. Martwe ciało, leżące na drodze, nie należało do goyla, lecz do człowieka. Zmarły na czole miał wytatuowany znak króla, a na jego piersi i gardle widać było ślady zębów.

– Jeden z jeńców, których wykorzystują jako niewolników. – Valiant niespokojnie spojrzał w górę.

Jakub wyciągnął pistolet.

– Co go zabiło?

Karzeł oświetlił latarką zwisające nad nimi stalaktyty.

– Strażnicy – szepnął. – Hodują ich, by pilnowali zewnętrznych tuneli i ulic. Reagują tylko wtedy, gdy zwietrzą kogoś innego niż goyla. Na tej trasie jeszcze nigdy nie miałem z nimi do czynienia! Zaczekaj!

Z ust Valianta padło ciche przekleństwo, gdy światło latarki wydobyło spośród stalaktytów szereg niepokojąco dużych otworów.

W ciszy rozległ się świergot. Ostry jak alarmujący krzyk.

– Biegiem!

Karzeł przeskoczył martwe ciało, pociągając Jakuba za sobą.

Powietrze nagle wypełniło się trzepotem skórzanych skrzydeł. Spomiędzy stalagmitów, jak drapieżne ptaki, wyskoczyli strażnicy goylów: blade, podobne do ludzi stwory, ze skrzydłami zakończonymi ostrymi szponami. Miały mlecznobiałe oczy jak ślepcy, najwyraźniej jednak świetnie kierowały się słuchem.

Jakub dwa trafił w locie, Valiant zastrzelił jednego, który wbił szpony w plecy Jakuba. Nad nimi jednak trzy kolejne już wyłaziły z nor. Jeden próbował wydrzeć Jakubowi pistolet. Ten dźgnął go łokciem w bladą twarz i szablą odciął mu skrzydło. Stwór krzyknął tak przeraźliwie, że Jakub przestraszył się, iż ściągnie dziesiątki innych. Na szczęście nie wszystkie nory były zamieszkane.

Strażnicy okazali się niezdarnymi napastnikami, lecz na końcu mostu jednemu z nich udało się przewrócić karła. Wyszczerzył zęby, sięgając Valiantowi do gardła, lecz Jakub wbił mu szablę między skrzydła. Z bliska twarz stwora przypominała ludzki embrion. Ciało też miało w sobie coś dziecięcego. Jakubowi zrobiło się niedobrze, jakby nigdy wcześniej nikogo nie zabił.

Uciekli do najbliższego tunelu. Mieli pogryzione barki i ręce. Żadna z ran nie była jednak głęboka. Valiant nawet nie zdziwił się na widok jodyny, którą Jakub odkaził mu ranę.

– Mam nadzieję, że to złote drzewo będzie rodziło przez wiele lat – mruknął, podczas gdy Jakub obwiązywał mu dłoń. – W przeciwnym razie już masz u mnie dług!

Nad mostem w jaskini nadal krążyło dwóch strażników. Nie pofrunęli za nimi, lecz walka była tak męcząca, że Jakub z trudem łapał oddech. Ciemne ulice nie miały końca. Wyczerpany zastanawiał się, czy karzeł znowu nie podjął jakiejś brudnej gry, gdy nagle tunel przed nimi skręcił i na jego końcu pojawiło się światło.

– Jest! – szepnął do niego Valiant. – Gniazdo bestii lub jaskinia lwów, jak wolisz.

Grota, w której ścianie znajdowało się wyjście z tunelu, była tak ogromna, że Jakub nie mógł dostrzec jej krańca. Niezliczone lampy dawały skąpe światło, odpowiednie dla oczu goylów. Zasilane były prądem, nie gazem. Oświetlały miasto, które wyglądało, jakby wyrosło ze skał. Domy, wieże i pałace na dnie jaskini i na jej ścianach wyglądały jak larwy w gnieździe os.

Nad morzem zabudowań rozpinały się dziesiątki stalowych mostów. Ich filary wyrastały spośród dachów niczym drzewa. Na niektórych mostach, jak w średniowieczu po

216

drugiej stronie lustra, stały domy. Mosty tworzyły nad miastem stalową sieć.

Wzrok Jakuba powędrował wyżej, aż do sklepienia jaskini, z którego zwisały trzy gigantyczne stalaktyty. Największy był naszpikowany wieżyczkami z kryształu skierowanymi w dół jak włócznie. Lśnił, jakby przepełniony był księżycowym światłem z górnego świata.

– Czy to pałac? – szepnął Jakub do karła. – Nic dziwnego, że nasze budowle nie robią na nich większego wrażenia. Kiedy zbudowali te mosty?

– Czy ja wiem? – odrzekł cicho Valiant. – W naszych szkołach nie uczą historii goylów. Pałac ma ponoć więcej niż siedemset lat. Ich król myśli jednak o nowocześniejszej wersji, bo jego zdaniem ten jest zbyt staroświecki. Dwa stalaktyty obok to koszary wojskowe i więzienia. – Karzeł zuchwale uśmiechnął się do Jakuba. – Chcesz, żebym się dowiedział, w którym siedzi twój brat? Złote talary z pewnością i tutaj rozwiązują języki. To oczywiście będzie dodatkowo płatne.

Gdy Jakub w odpowiedzi wcisnął mu w rękę dwa złote talary, Valiant nie zdołał się opanować. Wspiął się na palce i wsunął dłoń do kieszeni jego płaszcza.

– Nic! – zamruczał. – Nic tu nie ma! Czy chodzi o ten płaszcz? Nie, z poprzednim było tak samo! Rodzą ci się w palcach?

– Właśnie – rzekł Jakub i wyjął z kieszeni dłoń karła, zanim ten chwycił chustkę do nosa.

217

– Kiedyś się tego dowiem – mruknął Valiant, wsuwając złoto do aksamitnej kieszeni. – A teraz: głowa w dół, spuszczony wzrok. Jesteś niewolnikiem.

Uliczkami wśród domów wyrastających na ścianach jaskini ludziom było jeszcze trudniej chodzić niż w Terpevas. Miejscami były tak strome, że Jakubowi ślizgały się stopy i musiał się przytrzymywać drzwi lub okiennych gzymsów. Valiant natomiast poruszał się zwinnie jak goyl. Napotkani ludzie mieli skórę szarą z braku słońca. U wielu na czole widniała wypalona litera ich pana. Nie zwracali uwagi na Jakuba, podobnie jak goyle mijający ich w mrocznym labiryncie domów. Obecność karła u jego boku najwyraźniej wszystko tłumaczyła. Valiant z przyjemnością obładowywał go rzeczami, jakie kupował w sklepach, w których znikał, żeby dowiedzieć się czegoś o miejscu pobytu Willa.

– Mam coś! – szepnął w końcu, gdy Jakub prawie godzinę czekał na niego przed sklepem jubilera. – Dobre i złe wieści. Dobra jest taka: adiutant króla przyprowadził do twierdzy jeńca, którego podobno kazała szukać sama Czarna Nimfa. To na pewno nasz jaspisowy przyjaciel. Jeszcze się jednak nie rozeszło, że jeniec ma skórę z nefrytu.

– A ta zła wiadomość?

– Jest w pałacu, w komnatach Czarnej Nimfy, pogrążony w głębokim śnie, z którego nikt nie potrafi go obudzić. Rozumiem, że wiesz, o co tu chodzi?

– Tak. – Jakub spojrzał w górę na wielki stalaktyt.

– Nawet o tym nie myśl! – powiedział cicho karzeł. – Twój brat równie dobrze mógł się rozpłynąć w powietrzu. Komnaty Czarnej Nimfy są w samym szpicu na dole. Musiałbyś się przedrzeć przez cały pałac. Nawet ty nie jesteś aż tak szalony, żeby tego próbować.

Jakub patrzył na ciemne okna w lśniącej kamiennej fasadzie.

– Mógłbyś uzyskać audiencję u oficera, z którym handlujesz?

– A gdyby tak, to co? – Valiant drwiąco pokręcił głową. – Niewolnikom w pałacu wypala się na czołach królewski znak. Choćbyś w swojej braterskiej miłości się na to zdecydował, żadnemu z nich nie wolno opuszczać wyznaczonych komnat.

– A mosty?

– Co mosty?

Dwa były połączone z pałacem. Jeden z nich, kolejowy, niknął w tunelu na górze. Drugi, zabudowany, łączył się ze stalaktytem w połowie jego długości. W miejscu, gdzie stykał się z pałacem, nie było domów i można było zobaczyć czarną onyksową bramę, a przy niej liczny oddział strażników.

– Nie podoba mi się wyraz twojej twarzy! – warknął Valiant.

Jakub nie zwracał na niego uwagi. Przyglądał się żelaznym przęsłom podtrzymującym most. Z daleka wyglądały, jakby je dobudowano później, żeby wzmocnić kamienną konstrukcję. Niczym metalowe szpony wczepiały się w bok wiszącego pałacu.

Jakub skrył się w bramie jednego z domów i skierował lunetę na stalaktyt.

– Okna nie są zakratowane – szepnął.

– Po co im kraty? – również szeptem odpowiedział Valiant. – Tylko ptaki i nietoperze mogą tam dolecieć. Jesteś którymś z nich?

Uliczką przechodziła grupa dzieci. Jakub nigdy dotąd nie widział dziecka goylów i przez krótką szaloną chwilę wydawało mu się, że w jednym z chłopców rozpoznaje brata. Dzieci minęły ich, lecz Valiant nadal wpatrywał się w most.

– Zaczekaj! – syknął. – Już wiem, co chcesz zrobić! To samobójstwo!

Jakub wsunął lunetę do kieszeni płaszcza.

– Jeżeli chcesz dostać złote drzewo, zaprowadź mnie na most.

Odnajdzie Willa. Mimo że całował jego dziewczynę.

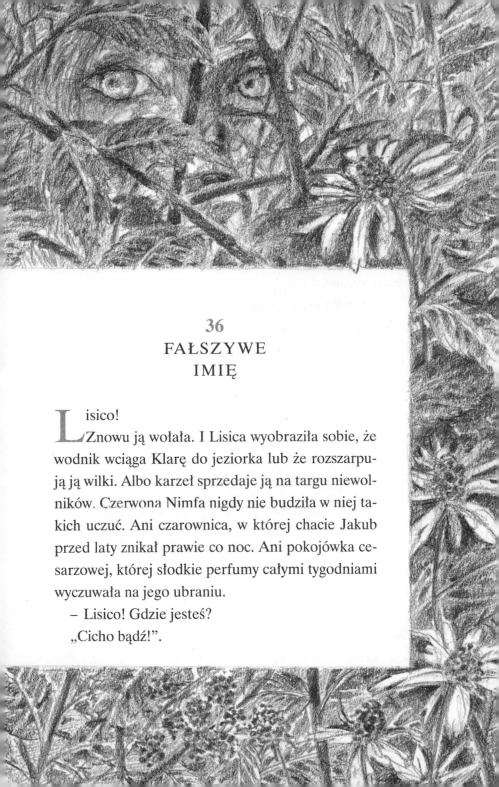

36
FAŁSZYWE
IMIĘ

Lisico!
Znowu ją wołała. I Lisica wyobraziła sobie, że wodnik wciąga Klarę do jeziorka lub że rozszarpują ją wilki. Albo karzeł sprzedaje ją na targu niewolników. Czerwona Nimfa nigdy nie budziła w niej takich uczuć. Ani czarownica, w której chacie Jakub przed laty znikał prawie co noc. Ani pokojówka cesarzowej, której słodkie perfumy całymi tygodniami wyczuwała na jego ubraniu.

– Lisico! Gdzie jesteś?

„Cicho bądź!".

Lisica skuliła się w krzakach, nie wiedząc, czy ma ludzką skórę, czy sierść. Nie chciała już sierści. Chciała mieć ciało i usta, które mógłby całować, tak jak całował usta Klary. Widziała siebie w jego ramionach. Bez przerwy.

Jakub.

Co to było? Czym była tęsknota, która rozrywała ją od środka i sprawiała ból, jak głód czy pragnienie. Nie miłością. Miłość była ciepła i miękka jak posłanie z liści. To jednak było mroczne jak cień pod trującym krzewem – i nienasycone.

Tak bardzo nienasycone.

To musiało mieć inne imię. Nie da się jednym słowem określić życia i śmierci, słońca i księżyca.

Jakub. Jego imię nagle zyskało inny smak. I Lisica znowu poczuła w ciele zimny dreszcz.

– Lisico...

Klara uklękła przed nią w wilgotnym mchu.

Miała złociste włosy. Włosy Lisicy zawsze były rude jak futro lisa. Nie pamiętała, czy kiedyś miały inny kolor.

Odepchnęła Klarę i wstała. Lepiej się poczuła na myśl, że teraz jest tego samego wzrostu co ona.

– Lisico... – Klara próbowała ją przytrzymać, gdy ta chciała ją wyminąć. – Nawet nie znam twojego imienia. Prawdziwego.

Prawdziwego? Co w nim było prawdziwego? I co ją to obchodziło? Nawet Jakub nie znał jej ludzkiego imienia.

„Celestyno, umyj ręce. Uczesz włosy".

– Czujesz to jeszcze? – Lisica uważnie wpatrywała się w niebieskie oczy Klary.

Jakub umiał patrzeć prosto w oczy i bez żenady kłamać. Był w tym bardzo dobry, ale nawet on nie mógł jej oszukać. Klara odwróciła wzrok, lecz Lisica wiedziała, co tamta czuła: strach i wstyd.

– Czy kiedykolwiek piłaś skowronkową wodę?

– Nie – pogardliwie odparła Lisica. – Żadna Lisica nie byłaby na tyle głupia.

Nawet jeśli to nie była prawda.

Klara spojrzała na strumyk. Ciała martwych skowronków nadal tkwiły między kamieniami. Klara. Jej imię miało dźwięk szkła i chłodnej wody, i Lisica bardzo ją lubiła – dopóki nie pocałowała Jakuba.

To nadal bolało.

„Przywdziej znowu futro, Lisico”.

Nie mogła. Chciała czuć swoją skórę, dłonie i usta, którymi można całować. Odwróciła się do Klary plecami, bojąc się, że jej ludzka twarz mogłaby to zdradzić. Nie wiedziała nawet, jak wygląda. Była ładna czy brzydka? Jej matka była ładna, lecz ojciec ją bił. Albo właśnie dlatego.

– Dlaczego wolisz być lisem? – spytała Klara. Nocą jej oczy stały się czarne. – Czy tak łatwiej zrozumieć świat?

– Lisy nie próbują zrozumieć świata.

Klara przesunęła dłońmi po ramionach, jakby nadal czuła na nich dotyk rąk Jakuba. W tej chwili ona też wolałaby mieć na sobie lisie futro.

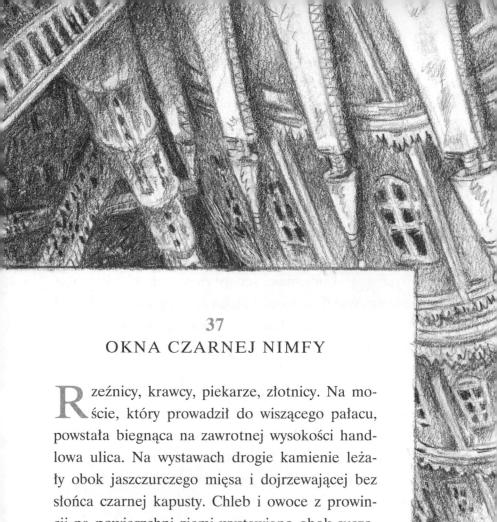

37

OKNA CZARNEJ NIMFY

Rzeźnicy, krawcy, piekarze, złotnicy. Na moście, który prowadził do wiszącego pałacu, powstała biegnąca na zawrotnej wysokości handlowa ulica. Na wystawach drogie kamienie leżały obok jaszczurczego mięsa i dojrzewającej bez słońca czarnej kapusty. Chleb i owoce z prowincji na powierzchni ziemi wystawiano obok suszonych chrząszczy, wielkiego przysmaku goylów. Jakuba interesował jednak wyłącznie pałac na końcu handlowej alei.

Zwisał pod sklepieniem jaskini jak żyrandol z piaskowca. Jakubowi zakręciło się w głowie, gdy wychylił się przez balustradę mostu i spojrzał w dół. Gdzieś tam w otchłani stalaktyt kończył się koroną z kryształów. Wyciągał w pustkę lśniący szpic.

– Które okna należą do Czarnej Nimfy? – spytał Jakub.

– Te z malachitu – odrzekł Valiant i obejrzał się nerwowo.

Na moście było wielu żołnierzy. Pełnili straż nie tylko przed bramami pałacu. Widać ich było również w płynącym po ulicy tłumie. Wiele kobiet goylów nosiło suknie wyszywane kamieniami identycznymi jak ich ciało. Kamienie zeszlifowano tak cienko, że materiał przypominał lśniącą skórę węża. Jakub przyłapał się na tym, że zaczął sobie wyobrażać, jak Klara wyglądałaby w takiej sukni.

„Jak długo to działa?".

Okna komnat Czarnej Nimfy wyglądały w jasnym piaskowcu jak zielone oczy. Żelazne przęsła mostu przytwierdzone były do muru niecałe dwadzieścia metrów wyżej. Ściana pałacu była jednak gładka jak lustro. Nie dawała żadnego punktu zaczepienia, żeby można się na nią wspiąć.

Mimo to musiał spróbować.

Za jego plecami Valiant mruczał coś o ograniczoności ludzkiego rozumu, lecz Jakub wyciągnął z kieszeni tabakierkę. Zawierała jeden z najpraktyczniejszych czarodziejskich przedmiotów, jaki kiedykolwiek wynaleziono: bardzo długi złoty włos. Karzeł zamilkł, gdy Jakub zaczął go obracać w palcach. Włos wypuszczał długie włókna,

226

delikatne jak nić pajęcza. Już po chwili stał się gruby jak środkowy palec Jakuba i mocniejszy niż jakakolwiek lina po tej lub tamtej stronie lustra. Ale nie tylko był wytrzymały. Miał również inne czarodziejskie właściwości. Lina rozwijała się na wymaganą długość i mocowała się dokładnie w miejscu, na które patrzył ten, kto ją zarzucał.

– Włos Roszpunki. No, no, całkiem niegłupie! – szepnął Valiant, gdy Jakub chwycił linę i spojrzał w górę, w stronę zielonych okien. – Tylko jak sobie poradzisz ze strażnikami? Będą cię widzieli wyraźnie jak muchę wędrującą po twarzy!

W odpowiedzi Jakub wyciągnął z kieszeni flaszeczkę z zielonego szkła. Ukradł ją pewnemu złośliwemu skrzatowi. Wypełniona była śluzem ślimaka, przez kilka godzin zapewniającym niewidzialność. Dzięki niemu drapieżne ślimaki skutecznie podkradały się do swojej zdobyczy. Hodowały je złośliwe skrzaty, by przez nikogo niezauważone mogły wyruszać na łowy. Śluzem należało posmarować miejsce pod nosem. Niezbyt miła procedura, mimo żc śluz był bezwonny. Za to działał natychmiastowo. Kłopot polegał na tym, że godzinami odczuwało się mdłości, a zbyt częste stosowanie mogło wywołać paraliż.

– Śluz ślimaka i włos Roszpunki. – Jakub wyczuł cień podziwu w głosie karła. – Przyznam, że jesteś doskonale przygotowany. Mimo to, zanim tam zejdziesz, chciałbym się dowiedzieć, gdzie rośnie twoje złote drzewo.

Ale Jakub zaczął już wcierać śluz.

– O, nie – odparł. – Może znowu coś zataiłeś i na dole czekają na mnie straże? Lina utrzyma tylko jednego z nas, więc ty zostaniesz. Gdyby zaś straże wszczęły alarm, lepiej odwróć ich uwagę, bo w przeciwnym razie możesz zapomnieć o złotym drzewie.

Zanim karzeł zdążył zaprotestować, Jakub przeskoczył przez balustradę. Jego ciało już zniknęło i gdy zsuwał się ku metalowym przęsłom, nie widział własnych dłoni. Uchwycił się jednej z belek i rzucił linę. Frunęła w powietrzu wężowym ruchem, aż przymocowała się do gzymsu między oknami z malachitu.

„A jeżeli istotnie znajdziesz tam Willa, Jakubie? Gdybyś nawet złamał zaklęcie Czarnej Nimfy – on śpi! Jak go wyprowadzisz z twierdzy?".

Nie znał odpowiedzi. Wiedział tylko, że musi spróbować. I że nadal czuje dotyk ust Klary.

Bez trudu wspinał się po włosie Roszpunki. Lina układała się miękko w jego dłoni i Jakub próbował zapomnieć o przepaści pod sobą.

„Wszystko będzie dobrze".

Stalaktyt rósł w jego oczach jak żylasty mięsień. Jakub czuł mdłości wywołane przez dający niewidzialność śluz.

„Jeszcze tylko parę metrów, Jakubie. Nie patrz w dół. Zapomnij o wysokości".

Mocno trzymając napiętą linę, piął się coraz wyżej, aż niewidoczne ręce wyczuły podparcie na gzymsie. Zaczerpnął tchu, przywierając do zimnego kamienia.

Okna Czarnej Nimfy z lewa i z prawa lśniły jak stężała woda. „Co teraz, Jakubie? Rozbijesz szyby?".

Od razu zbiegłyby się wszystkie straże.

Wyciągnął zza pasa nóż Chanutego i przyłożył ostrze do szkła. Otwory w murze zauważył dopiero w chwili, gdy z jednego z nich wyskoczył wąż. Otwór obramowany był chalcedonem bladym jak jego łuski i skóra jego pani. Owinął się wokół szyi Jakuba, zanim ten zrozumiał, co się dzieje. Zaskoczony próbował wbić w niego nóż, lecz wąż owijał się tak bezlitośnie, że Jakub wypuścił nóż z dłoni. Wbił tylko rozpaczliwie palce w pokryte łuskowatą skórą ciało. Stracił podparcie pod stopami i zawisł nad przepaścią niczym zdobycz schwytana przez drapieżnego ptaka. Owinięty wokół szyi wąż nie przestawał go dusić. Z otworów wypełzły dwa kolejne. Owinęły się wokół piersi i nóg Jakuba. Bezskutecznie próbował zaczerpnąć powietrza. Ostatnią rzeczą, jaką dostrzegł, była złota lina, która oderwała się od gzymsu i zniknęła w ciemności.

38
ZNALEŹĆ
I STRACIĆ

Mury z piaskowca i krata zamiast drzwi. But z jaszczurczej skóry kopiący go w bok. Szare mundury zanurzone w wypełniającej mu głowę czerwonej mgle. Przynajmniej węże zniknęły i mógł oddychać. Karzeł znowu go sprzedał. Tylko ta myśl wyłoniła się z mgły. Kiedy to zrobił?

„W jednym ze sklepów, przed którym stałeś jak cielę, Jakubie?".

Spróbował usiąść, lecz związali mu ręce, a szyja tak bardzo go bolała, że z trudem przełykał ślinę.

– Kto cię przywrócił do życia? Jej siostra? – Z mroku wyłonił się jaspisowy goyl. – Nie wierzyłem nimfie, że jeszcze żyjesz. W końcu to był dobry strzał. – Mówił dialektem cesarstwa, z ciężkim akcentem. – Wpadła na pomysł, żeby rozesłać pogłoskę, że twój brat jest u niej. Wpadłeś w jej sieć jak mucha. Miałeś pecha, że węży nie wprowadza w błąd śluz zapewniający niewidzialność. Poradziłeś sobie jednak znacznie lepiej niż dwaj onyksowi goyle, którzy schodzili po murze do królewskich komnat. Ich resztki trzeba było zdrapywać z miejskich dachów.

Jakub zaparł się plecami o mur i zdołał usiąść. Cela, do której go wrzucono, niczym nie różniła się od cel w ludzkich więzieniach: miała takie same kraty, takie same rozpaczliwe napisy wydrapane na ścianach.

– Gdzie mój brat?

Miał tak zachrypnięty głos, że sam siebie prawie nie rozumiał, i czuł, że ogarniają go mdłości.

Goyl nie odpowiedział.

– Gdzie zostawiłeś dziewczynę? – zapytał.

Z pewnością nie miał na myśli Lisicy. Czego jednak chcieli od Klary?

„Jak myślisz, Jakubie? Twój brat śpi. I nie potrafią go obudzić. To chyba niezłe wieści?".

To, że Valiant nie zdradził Klary, dowodziło jego słabości do niej.

„Udawaj zatem głupiego, Jakubie".

232

– Jaką dziewczynę?

Pytanie kosztowało go kopniaka w brzuch, aż zaparło mu dech. Żołnierzem, który to zrobił, była kobieta. Jej twarz wydała mu się znajoma. Jasne, to ją postrzelił w dolinie jednorożców. Z radością kopałaby go dalej, ale jaspisowy goyl ją powstrzymał.

– Przestań, Nesser – powiedział. – Z nim to długo potrwa.

Jakub słyszał o ich skorpionach.

Pierwszemu z nich Nesser pozwoliła pospacerować po kamiennych palcach, zanim posadziła go na piersi Jakuba. Skorpion był bezbarwny i nie większy niż kciuk. Miał jednak szczypce z lśniącego metalu.

– Na ciele goyla nie wyrządzą szkody – oznajmił jaspisowy, gdy skorpion wszedł pod koszulę Jakuba – lecz wasza skóra jest miękka. Zatem powtarzam: gdzie jest dziewczyna?

Skorpion zagłębił szczypce w jego ciele, jakby chciał go pożreć żywcem. Jakub zacisnął zęby, żeby nie krzyczeć. Wtedy skorpion wbił mu żądło. Palący jad rozlał się pod skórą i Jakub zaczął ciężko dyszeć ze strachu i bólu.

– Gdzie jest dziewczyna?

Goyle posadzili mu na piersi trzy kolejne skorpiony.

– Gdzie dziewczyna?

Bez przerwy powtarzali to pytanie. Dopóki im tego nie wyjawi, Will będzie spał. Jakub krzyczał z bólu, aż ochrypł.

Marzył o skórze z nefrytu. Pomyślał jeszcze, że może jad przynajmniej wypali skowronkową wodę, aż w końcu stracił przytomność.

Gdy się obudził, nie pamiętał, czy wyjawił goylom, co chcieli wiedzieć. Znajdował się teraz w innej celi. Z jej okien widać było wiszący pałac. Na całym ciele czuł ból, jakby się poparzył. Zniknął jego pas z bronią oraz wszystko, co miał w kieszeniach. Na szczęście zostawili chustkę do nosa.

„Na szczęście, Jakubie? Na co ci się teraz przyda kilka złotych talarów?".

Żołnierze goylów znani byli ze swej nieprzekupności.

Udało mu się uklęknąć. Jego cela oddzielona była kratą od następnej i gdy spojrzał przez metalowe pręty, zapomniał o bólu.

Will.

Jakub wsparł się ramieniem o ścianę i zdołał z trudem powstać. Jego brat leżał tam jak martwy, lecz oddychał. Na czole i policzkach pozostały jeszcze ślady ludzkiego ciała. Czerwona Nimfa dotrzymała przyrzeczenia i zatrzymała czas.

Na korytarzu rozległy się kroki i Jakub cofnął się w pobliże kraty, za którą spał jego brat. Nadchodził jaspisowy goyl z dwoma strażnikami. Hentcau. Jakub poznał już jego imię i gdy zobaczył, kogo za sobą ciągną, miał ochotę bić głową w metalowe sztaby.

Powiedział im, co chcieli wiedzieć.

Klara miała krwawą szramę na czole i oczy rozszerzone ze strachu.

„Gdzie jest Lisica?" – chciał ją spytać, lecz go nie dostrzegła.

Widziała tylko jego brata.

Hentcau wepchnął ją do celi Willa. Klara zrobiła krok ku niemu i zatrzymała się, zmieszana, jakby sobie przypomniała, że jeszcze parę godzin temu całowała kogo innego.

– Klaro! – zawołał cicho.

Spojrzała na niego. Z jej twarzy można było wiele wyczytać: strach, troskę, rozpacz... wstyd.

Podeszła do kraty dzielącej cele i pogładziła sine ślady na jego szyi.

– Co oni z tobą zrobili? – szepnęła.

– To nic. Gdzie Lisica?

– Ją też złapali.

Dotknęła jego dłoni i w tej samej chwili goyle na korytarzu stanęli na baczność. Nawet Hentcau się wyprostował, mimo że zrobił to z wyraźnym oporem. Jakub od razu się domyślił, kim była zbliżająca się kobieta.

Czarna Nimfa miała jaśniejsze włosy niż jej siostra, teraz jednak nie zastanawiał się, czemu zawdzięczała swoje imię. Jej czerń czuł na skórze jak cień. Serce biło mu szybko, lecz nie ze strachu.

„Już nie musisz jej szukać. Sama do ciebie przyszła!".

Klara szybko się cofnęła, gdy Czarna Nimfa weszła do celi Willa. Jakub mocniej tylko ścisnął palcami pręty krat.

„Podejdź bliżej! No, ruszaj się!" – pomyślał.

Wystarczyłby dotyk i trzy sylaby, które zdradziła mu jej siostra. Krata sprawiała jednak, że nie mógł jej dosięgnąć. Jej skóra wyglądała jak utkana z pereł. Przy niej bladła nawet uroda jej siostry.

Przyjrzała się Klarze z niechęcią, którą takie jak ona odczuwają wobec wszystkich osób płci żeńskiej.

– Kochasz go?

Pogłaskała śpiącą twarz Willa.

– No, mów.

Gdy Klara się cofnęła, cień Czarnej Nimfy ożył i objął palcami jej kostki.

– Odpowiedz jej, Klaro – odezwał się Jakub.

– Tak – wykrztusiła Klara. – Tak, kocham go.

Cień znowu stał się tylko cieniem i Czarna Nimfa się uśmiechnęła.

– Dobrze. W takim razie na pewno chcesz, żeby się obudził. Musisz go tylko pocałować.

Klara obejrzała się na Jakuba, szukając u niego pomocy.

„Nie! Nie rób tego!".

Język jednak odmówił mu posłuszeństwa. Usta miał zdrętwiałe i mógł tylko bezradnie patrzeć, jak Czarna Nimfa wzięła Klarę za rękę i delikatnie przyciągnęła ją do śpiącego Willa.

– Spójrz na niego! – powiedziała. – Jeżeli go nie obudzisz, już zawsze będzie tak leżał, ani żywy, ani martwy, aż dusza w jego zwiędłym ciele rozsypie się w proch.

Klara chciała się odwrócić, lecz nimfa mocno ją trzymała.

– Czy to miłość? – usłyszał Jakub jej szept. – Tak go zdradzić? Tylko dlatego, że jego skóra nie jest już taka jak twoja? Pozwól mu odejść.

Klara przesunęła dłonią po skamieniałej twarzy Willa.

Nimfa puściła jej rękę i uśmiechając się, postąpiła krok do tyłu.

– Włóż w ten pocałunek całą swoją miłość! – powiedziała. – Zobaczysz. Ona nie umiera tak łatwo, jak myślisz.

Klara zamknęła oczy, jak gdyby chciała zapomnieć o nefrytowej twarzy Willa, i go pocałowała.

39
OBUDZONY

Przez chwilę Jakub miał nadzieję, że ten, który się podniósł, nadal jest jego bratem. Wyraz twarzy Klary jednak zdradził mu prawdę. Odsunęła się od Willa, a w jej spojrzeniu zobaczył taką rozpacz, że na chwilę zapomniał o własnym bólu.

Jego brata już nie było.

Zniknął najmniejszy ślad ludzkiego ciała. Will zamienił się już w żywy kamień. Znajome ciało, było oprawione w nefryt, jak martwy owad zatopiony w bursztynie. Goyl.

Will podniósł się z ławki, na której leżał. Nie zwracał uwagi ani na Jakuba, ani na Klarę. Oczami szukał tylko twarzy nimfy. Jakub poczuł, jak ból kruszy ochronny pancerz, który przez wiele lat nosił na sercu. Znowu był tak bezbronny jak wtedy, gdy był dzieckiem, w pustym pokoju ojca. I jak wtedy nie było żadnej pociechy. Tylko miłość. I ból.

– Will?

Klara wyszeptała imię jego brata, jakby to było imię zmarłego. Zrobiła krok ku niemu, lecz Czarna Nimfa zagrodziła jej drogę.

– Pozwól mu odejść – powiedziała.

Strażnicy otworzyli drzwi celi i Czarna Nimfa wyprowadziła za sobą Willa.

– Chodź – rzekła do niego. – Pora się obudzić. Spałeś o wiele za długo.

Klara odprowadzała ich wzrokiem, aż zniknęli w ciemnym korytarzu. Potem odwróciła się do Jakuba. Wyrzuty, rozpacz, poczucie winy. Teraz jej oczy stały się ciemniejsze od oczu Czarnej Nimfy.

„Co ja zrobiłam? – pytały. – Dlaczego temu nie przeszkodziłeś? Przecież obiecałeś, że będziesz go chronił!".

Być może w jej oczach wyczytał tylko własne myśli.

– Czy tego tu mamy rozstrzelać? – spytał jeden ze strażników, wskazując strzelbą na Jakuba.

Hentcau wyciągnął zza pasa odebrany Jakubowi pistolet. Otworzył magazynek i przyglądał mu się jak wnętrzu nieznanego owocu.

– Ciekawy okaz. Skąd go masz?

Jakub odwrócił się do niego.

„Strzelaj, już".

Cela, goyl, wiszący pałac. Wszystko wokół wydawało się nierealne. Nimfy i zaklęte lasy, Lisica, która była dziewczyną – to tylko gorączkowe urojenia dwunastolatka. Jakub znowu ujrzał siebie w drzwiach gabinetu ojca, i Willa, który starał się dojrzeć zakurzone modele, stare rewolwery. I lustro.

– Odwróć się – odezwał się niecierpliwie Hentcau.

Łatwo było przyprawić go o gniew. Od razu wybuchał pod swoją kamienną powłoką.

Jakub mimo to nie posłuchał. Doszedł go śmiech goyla.

– Ta sama arogancja. Twój brat nie jest do niego podobny. Dlatego nie od razu zrozumiałem, dlaczego twoja twarz wydała mi się znajoma. Masz takie same oczy, takie same usta. Twój ojciec jednak nawet w połowie nie umiał tak dobrze ukrywać strachu jak ty.

„Jakimże jesteś idiotą, Jakubie Reckless".

„Goyle mają lepszych inżynierów".

Ile razy słyszał tutaj to zdanie – czy to w mieście Szwansztajn, czy z ust oficerów cesarzowej – i nigdy nic go nie olśniło.

Znalazł ojca, stracił brata.

– Gdzie on jest? – spytał.

Hentcau uniósł brwi.

– Liczyłem, że ty mi to powiesz. Pięć lat temu schwytaliśmy go w Blenhajmie, by zbudował tam most, ponieważ mieszkańcy mieli dość spotkań z syrenami. Już wtedy w rzece się od nich roiło, wbrew opinii, jakoby to Czarna Nimfa wpuściła je do wody. Nazywał się Jan Reckless. Zawsze nosił przy sobie zdjęcie synów. Kamien kazał mu skonstruować aparat fotograficzny, na długo zanim wynalazcy na dworze cesarzowej wpadli na ten pomysł. Wiele nas nauczył. Ale kto by pomyślał, że jednemu z jego synów wyrośnie nefrytowe ciało! – Hentcau pogładził staroświecką lufę rewolweru. – Nie był nawet w połowie tak uparty jak ty, gdy go przesłuchiwaliśmy. A to, czego się od niego nauczyliśmy, okazało się w tej wojnie bardzo pomocne. Potem jednak nam uciekł. Szukałem go miesiącami, lecz nie wpadłem na żaden ślad. Teraz odnalazłem jego synów.

Zwrócił się do straży.

– Niech zostanie przy życiu, aż wrócę ze ślubu. Mam do niego wiele pytań.

– A dziewczyna?

Strażnik wskazujący na Klarę miał twarz z chalcedonu.

– Ją też oszczędźcie – odrzekł Hentcau. – Rudą dziewczynę także. Ich obecność szybciej niż ukąszenia skorpionów sprawi, że zacznie mówić.

Kroki Hentcaua ucichły w korytarzu, a przez zakratowane okienko wlewał się hałas podziemnego miasta. Jakub jednak był daleko stąd, w pokoju ojca, i dziecięcymi palcami gładził ramę lustra.

40
SIŁA KARŁÓW

Jakub w ciemności słyszał oddech Klary. I jej płacz. Nadal była między nimi krata, lecz myśl o Willu dzieliła ich bardziej niż żelazne pręty. Wspomnienie pocałunków Klary przesłonił ten, którym obudziła jego brata. Przed oczami stale miał obraz chwili, gdy Will otwiera oczy i w tym momencie całą jego twarz szczelnie pokrywa nefryt.

Prawie dusił się z rozpaczy. Czy Miranda obserwowała go w snach? Czy widziała, jak rozpaczliwie ją zawiódł?

Klara siedziała, opierając głowę o zimną ścianę celi, a Jakub zapragnął ją przytulić i otrzeć jej łzy.

„To nic, Jakubie. To tylko skowronkowa woda".

Wiszący pałac za okratowanym oknem lśnił jak zakazany owoc. Will pewnie już tam był…

Klara uniosła głowę. Na zewnątrz rozległo się głuche szuranie, jakby ktoś się wspinał po murze. Do kraty w oknie jej celi przywarła brodata twarz.

Broda Valianta znowu rosła bujnie, prawie jak za czasów, gdy jeszcze nosił ją z dumą. Krótkimi palcami bez wysiłku rozsunął metalowe pręty.

– Wasze szczęście, że goyle rzadko zamykają w więzieniu karły – wyszeptał, przeciskając się przez otwór powstały w kracie. – Cesarzowa do wszystkich krat każe dodawać srebra. – Zwinnie jak łasica zsunął się z okna i złożył ukłon Klarze. – Co tak na mnie patrzysz? – zwrócił się do Jakuba. – Widok był przekomiczny, gdy węże się na ciebie rzuciły. Absolutnie bezkonkurencyjny.

– Jestem pewien, że goyle dobrze ci za ten widok zapłacili! – Jakub wstał i spojrzał szybko na korytarz, ale nie było widać żadnego ze strażników. – Kiedy dokładnie mnie sprzedałeś? Gdy godzinami sterczałem przed sklepem jubilera? A może u krawca zaopatrującego pałac?

Valiant pokręcił głową, rozginając kajdany na przegubach dłoni Klary z równą łatwością jak kraty w oknach.

– Zapamiętaj sobie! – wyszeptał do Klary. – On nikomu nie ufa. Mówiłem mu, że to idiotyczny pomysł, żeby wspinać jak się jak karaluch po ścianie pałacu ich króla. Czy mnie posłuchał? Nie.

Karzeł rozgiął kratę dzielącą cele i stanął na wprost Jakuba.

– Rozumiem, że obarczasz mnie winą również o to, że znaleźli obie dziewczyny. To nie ja wpadłem na pomysł, żeby zostawiać je w lesie. Na pewno też nie Evenaugh Valiant powiedział goylom, gdzie one są. – Pochylił się z uśmiechem osobnika, który jest dobrze poinformowany. – Wypuścili na ciebie skorpiony, zgadza się? Żałuję, że tego nie widziałem.

Z jednej z sąsiednich cel dobiegły głosy i Klara cofnęła się do okna, lecz korytarz nadal był pusty.

– Widziałem twojego brata – szepnął Valiant do Jakuba, uwalniając go z kajdan. – O ile nadal chcesz go tak nazywać. Każdy centymetr ciała ma jak u goyla. Chodzi za Czarną Nimfą jak pies. Zabrała go na ślub ukochanego. Połowa straży pojechała razem z nimi. Tylko dlatego zaryzykowałem wejście tutaj.

Klara stała bez ruchu, wpatrując się w kamienną ławkę, na której wcześniej leżał Will.

– Opuszczamy to miejsce, łaskawa pani – zwrócił się do niej Valiant i bez najmniejszego wysiłku podsadził ją do okna, jakby ważyła tyle co dziecko. – Po tamtej stronie jest lina, która ułatwi wspinaczkę. I na tym budynku nie ma węży.

– Co z Lisicą? – szepnął Jakub.

Valiant wskazał na sklepienie celi.

– Siedzi dokładnie nad nami.

Fasada więziennego stalaktytu była podziurawiona i łatwo było się jej uchwycić, lecz Klara zadrżała, wysuwając się z okna. Kurczowo uchwyciła się parapetu, szukając stopami podparcia. Valiant natomiast poruszał się po murze, jakby się na nim urodził.

– Dasz radę – uspokajał Klarę, ujmując ją za ramię. – Przede wszystkim nie patrz w dół.

Karzeł zjechał po linie z mostu stanowiącego wyłącznie drogę dla pieszych. Włos Roszpunki mocno się naprężył między jego stalowymi przęsłami a więziennym stalaktytem. Teraz trzeba było pokonać dziesięć metrów stromo w górę.

– Valiant ma rację – szepnął Jakub, układając palce Klary wokół liny. – Patrz wyłącznie w górę. I czekaj pod mostem, aż z Lisicą do ciebie przyjdziemy.

W ogromnej jaskini złota lina wyglądała jak pajęcza nić. Klara wspinała się po niej rozpaczliwie wolno. Jakub nie odrywał od niej wzroku, aż dobrnęła do mostu i przywarła do jednego z metalowych przęseł. Karły i goyle znani byli ze swej umiejętności wspinaczki, Jakub jednak nie czuł się pewnie na skalnych ścianach, a co dopiero na ścianie budowli wiszącej setki metrów nad dachami wrogiego miasta. Na szczęście jednak nie było daleko. Lisicę uwięziono tuż nad nimi.

Miała ludzką postać. Gdy Jakub uklęknął obok niej, zarzuciła mu ręce na szyję i rozpłakała się jak dziecko. Valiant tymczasem zdejmował krępujące ją łańcuchy.

– Powiedzieli, że obedrą mnie ze skóry, jeżeli się przemienię! – szlochała.

Po jej gniewie nie pozostało śladu.

– W porządku – szeptał Jakub, głaszcząc ją po rudych włosach. – Wszystko będzie dobrze.

„Naprawdę, Jakubie? W jaki sposób?".

Lisica od razu dostrzegła rozpacz w jego oczach.

– Nie znalazłeś Willa – szepnęła.

– Znalazłem, ale już go tu nie ma.

Na korytarzu trzasnęły drzwi. Valiant odciągnął zamek strzelby, lecz straże wywlokły z celi innego więźnia.

Lisica wspinała się równie dobrze jak karzeł. Gdy Jakub wraz z nią stanęli tuż obok Klary na żelaznym przęśle, na jej twarzy pojawił się wyraz ulgi. Valiant dał już susa przez balustradę mostu, Jakub tymczasem pocierał między palcami linę Roszpunki, aż na powrót zamieniła się w cieniutki złoty włos. Minęła wieczność, zanim karłowi udało się przywołać ich do siebie na górę. Mostem poniżej maszerował oddział goylów. Przejeżdżający nad przepaścią pociąg towarowy wypuścił w przestrzeń jaskini brudną chmurę dymu. Oprócz dwóch szybów, przez które wpadała odrobina dziennego światła, nie było widać niczego, przez co goyle mogliby się pozbywać spalin i zużytego powietrza.

„Twój ojciec musiał ich nauczyć również tego, Jakubie" – pomyślał, krocząc za Valiantem po żelaznych belkach mostu.

Jednak nie chciał myśleć o ojcu. Nie chciał myśleć nawet o Willu. Pragnął wrócić na wyspę i zapomnieć o wszystkim – o nefrycie, o skowronkowej wodzie i o żelaznych mostach, które wyglądały, jakby Jan Reckless zostawił tu swój podpis.

– Co z końmi? – zapytał Jakub karła, gdy skryli się w jednym z krużganków ciągnących się wzdłuż ściany jaskini.

– Zapomnij – mruknął Valiant. – Stajnie są zbyt blisko głównego wejścia. Tam roi się od straży.

– Mamy iść piechotą przez góry?

– A masz lepszy pomysł? – syknął karzeł.

Nie, nie miał. I gdy teraz natkną się na ślepych strażników, pozostanie im tylko strzelba Valianta i nóż, który karzeł przyniósł Jakubowi, nie żądając za niego zapłaty.

Lisica znowu przybrała zwierzęcą postać, a Klara oparła się o jedną z kolumn i spoglądała w dół, nieobecna duchem. Może w myślach wróciła na tamtą stronę lustra i siedziała z Willem w obskurnej szpitalnej kawiarni? Droga powrotna była daleka i każdy kilometr będzie jej przypominał, że nie ma przy niej Willa.

Okna i drzwi za kotarami z piaskowca. Domy podobne do jaskółczych gniazd. Wszędzie złote oczy. Żeby zbytnio nie zwracać uwagi, Valiant najpierw zabrał z sobą Klarę, gdy tymczasem Jakub z Lisicą ukryli się między budynkami. Następnie karzeł sprowadził Lisicę, a Klara znalazła kryjówkę w jakimś ciemnym zakamarku. Schodzić stromymi ulicami było im jeszcze trudniej, niż się wspinać.

Valiant poprawił literę na czole Jakuba i kroczył obok Klary z tak zadowoloną miną, jakby prezentował goylom swoją świeżo poślubioną małżonkę. Podobnie jak poprzednio w drodze spotykali wielu żołnierzy. Za każdym razem gdy ich mijali, Jakub spodziewał się, że zostanie przywołany lub poczuje na ramieniu ciężką kamienną dłoń. Nikt ich jednak nie zatrzymał i po upływie kilku długich godzin dotarli do otworu, przez który po raz pierwszy ujrzeli jaskinię. Dopiero w tunelu opuściło ich szczęście.

Byli tak wyczerpani, że szli blisko siebie, podpierając się nawzajem. Jakub pomagał iść Klarze mimo spojrzeń rzucanych mu przez Lisicę. Pierwsi napotkani goyle wracali z polowania. Było ich sześciu i mieli przy sobie watahę oswojonych wilków, towarzyszących im nawet do najgłębszych jaskiń. Dwóch prowadziło konie dźwigające trofea: trzy wielkie jaszczury, których kolce kawaleria goylów nosiła przy hełmach, i sześć nietoperzy. Ich mózgi ponoć uważane były za przysmak. Gdy ich konie mijały Jakuba, myśliwi ledwie na niego spojrzeli. Ale patrol goylów, który nagle wynurzył się z bocznego tunelu, okazał znacznie większe zainteresowanie. W jego skład wchodziło trzech żołnierzy. Jeden z nich miał alabastrowe ciało szpiega.

Gdy tylko Valiant podał nazwisko kupca, którego własnością rzekomo był Jakub, strażnicy wymienili szybkie spojrzenia. Alabastrowy goyl sięgnął po pistolet, oznajmiając, że kontrahent Valianta został aresztowany z powodu nielegalnego handlu minerałami. Ale karzeł okazał się szybszy. Celnym strzałem strącił goyla z konia, drugiego trafił nożem w pierś. Nóż kupił w jednym ze sklepów na moście prowadzącym do pałacu. Ostrze bez trudu przebiło skórę z cytrynu. Jakub wzdrygnął się na myśl, jak bardzo pragnął ich zabić. Lisica skoczyła między nogi konia trzeciego jeźdźca, lecz goyl zapanował nad wierzchowcem i odjechał galopem, zanim Jakub zdążył zabrać broń jednemu z zabitych.

Valiant miotał takie przekleństwa, jakich nawet Jakub nigdy nie słyszał. Stukot kopyt przebrzmiał w ciemności i wtedy rozległ się dźwięk, od którego karzeł nagle zamilkł. Brzmiał jak granie tysiąca mechanicznych świerszczy. Skalne ściany wokół nich nagle ożyły. Ze szczelin i dziur zaczęły wychodzić robaki – stonogi, pająki, karaluchy. O twarze uciekinierów obijały się ćmy, komary, chrabąszcze, wielkie muchy. Siadały im na włosach i wchodziły pod ubrania. Alarm wszczęty przez goylów obudził ziemię. Jej kamienne ciało wydało życie, które pełzało, trzepotało i gryzło.

Szli dalej, potykając się, prawie oślepli w ciemności, wymachując rękami i depcząc wszystko, co wypełzało im pod nogi. Żadne z nich już nie wiedziało, skąd przyszli i która z dróg prowadziła do wyjścia. Ściany wokół nich nadal ćwierkały, a światło latarki błądziło w ciemności.

Jakubowi wydało się, że w oddali słyszy uderzenia kopyt i jakieś głosy. Tkwili w potrzasku, pośród niekończących się rozwidleń korytarzy. Ze strachu zapomniał o rozpaczy, jaką czuł, siedząc w celi, i znowu obudziła się w nim wola życia. Chciał żyć, tylko tyle, i znowu wyjść na światło dzienne. Odetchnąć powietrzem.

Lisica zaszczekała i zniknęła w bocznym korytarzu. Chłodny powiew wiatru musnął mu twarz, gdy szedł, ciągnąc za sobą Klarę. Światło latarki padło na prowadzące w dół szerokie schody i wtedy pojawiły się one – smoki, o których opowiadał przewoźnik. Były jednak z metalu i drewna i wyglądały jak modele, które wisiały pod warstwą kurzu nad biurkiem Jana Recklessa.

41

SKRZYDŁA

Samoloty. Hałas dał się słyszeć również w tej jaskini, gdzie jednak nic nie wypełzało ze ścian.
Przez szeroki tunel wpadało trochę światła słonecz-
nego. Pośród maszyn stali tylko dwaj nieuzbrojeni
goyle: mechanicy, nie żołnierze. Podnieśli ręce, gdy
tylko Valiant wycelował w nich broń.

Na twarzach mieli śmiertelny strach i gniew. Jakub skrępował ich kablami, które Klara znalazła
obok samolotów. Jeden z żołnierzy wyrwał się i groźnie wystawił pazury. Gdy Valiant odbezpieczył kara-
bin, opuścił ręce. Jakub pomyślał o szponach, które
rozorały kark Willa. Zabijanie nigdy nie sprawiało

mu przyjemności, lecz rozpacz, którą czuł, odkąd Czarna Nimfa zabrała mu brata, pozbawiała go samokontroli.

– Nie – szepnęła Klara, wyjmując mu nóż z ręki.

Rozumiała, co się z nim działo, i to przez chwilę związało ich mocniej niż skowronkowa woda.

Valiant już zapomniał o goylach. Zapomniał o bożym świecie. Zdawało się, że nie widzi i nie słyszy niczego, ani grania świerszczy, ani głosów przybliżających się w tunelu. W głowie miał tylko te trzy samoloty.

– Jakie piękne! – mruczał. – O wiele piękniejsze niż cuchnący smok. Jak one latają i do czego goyle chcą ich użyć?

– Zieją ogniem – wyjaśnił Jakub. – Jak wszystkie smoki.

Były to dwupłatowce, jakie budowano na początku dwudziestego wieku w Europie. Dla świata po drugiej stronie lustra był to ogromny krok naprzód – znacznie większy niż wszystko, co zbudowano w fabrykach w Szwansztajnie lub co skonstruowali inżynierowie cesarzowej. Dwa z nich były takie same jak jednoosobowe maszyny bojowe z czasów pierwszej wojny światowej. Trzeci jednak wyglądał jak Junkers J4, dwuosobowy bombowiec i samolot zwiadowczy. Model takiego samolotu Jakub zbudował razem z ojcem.

Lisica nie spuszczała go z oka, gdy wchodził do ciasnego kokpitu.

– Zejdź! – zawołała. – Spróbujmy przedostać się tunelem. Prowadzi do wyjścia. Czuję to!

Jakub jednak przesuwał ręką po kontrolkach i sprawdzał wentyle.

Junkersa pilotowało się dość łatwo. Tylko na ziemi wydawał się niezgrabny i mało sterowny.

„Jakubie, wiesz o tym tylko z książek i zabaw z modelami samolotów. Chyba nie sądzisz, że możesz nim polecieć".

Kilka razy wybrał się z ojcem, gdy ten w inny świat uciekał jeszcze sportowym samolotem, a nie przez lustro. Ale to było dawno temu i wydawało się równie nierealne jak to, że kiedyś miał ojca.

W jaskini rozległ się ostry alarm, jakby ktoś spłoszył świerszcze na świeżo skoszonej łące.

Jakub zwiększył ciśnienie benzyny. Gdzie był zapłon?

Valiant, zdumiony, spoglądał na niego z dołu.

– Zaczekaj! Potrafisz tym latać? – spytał.

– Jasne! – Jakub sam siebie prawie przekonał tą zdecydowaną odpowiedzią.

– Do licha, jak to możliwe? – zdziwił się karzeł.

Lisica ostrzegawczo zaszczekała, patrząc z dołu na Jakuba.

Głosy w tunelu stawały się coraz wyraźniejsze, były coraz bliżej.

Klara szybko podsadziła Valianta na jedno ze skrzydeł. Lisica bała się samolotu, lecz Klara bez namysłu wzięła ją na ręce i wspięła się do kabiny.

Jakub znalazł rozrusznik.

Silnik zaskoczył. Śmigło zaczęło się obracać i gdy Jakub jeszcze raz sprawdzał przyrządy, wydawało mu się, że widzi ręce ojca wykonujące te same czynności. W innym świecie. W innym życiu.

„Spójrz, Jakubie! Aluminiowy kadłub na metalowym szkielecie. Jedynie ster jeszcze jest z drewna".

W głosie Jana Recklessa najwięcej pasji było wówczas, gdy mówił o samolotach. Lub o broni.

Lisica przeskoczyła na przód do Jakuba i drżąc, skuliła się za jego nogami.

Samoloty. Huk metalu. Mechaniczny ruch. Konstrukcyjny cud dla tych, którym nie wyrastały pióra ani sierść.

Jakub skierował samolot do tunelu. To prawda, na ziemi poruszał się niezgrabnie, ale Jakub miał nadzieję, że w powietrzu maszyna zachowa się lepiej.

Gdy samolot kołował w stronę tunelu, za nimi rozległy się strzały. Huk silnika tłumiły skalne ściany. Olej prysnął Jakubowi w twarz, a jedno skrzydło prawie otarło się o skałę.

„Szybciej, Jakubie".

Dodał gazu, mimo że teraz trudniej było unikać zderzenia ze ścianą tunelu. Odetchnął z ulgą dopiero, gdy ciężka maszyna wyjechała na wysypany żwirem pas startowy.

W górze spomiędzy ciężkich deszczowych chmur przebijało blade słońce. Hałas silnika rozdarł ciszę i z pobliskich drzew poderwało się stado wron. Na szczęście nie wleciały w śmigło.

„Startuj, Jakubie. Lisicy wyrosło futro, twój brat ma ciało z kamienia, a teraz ty masz skrzydła".

Cud latającej maszyny.

Jego ojciec zabrał metalowe smoki na drugą stronę lustra. I jak wówczas, gdy w jednej z jego książek Jakub znalazł kartkę, tak i teraz nie mógł pozbyć się myśli, że Jan Reckless znowu coś mu pozostawił.

Samolot wznosił się coraz wyżej. Jakub widział w dole ulice i tory, które przez potężne łuki bram znikały we wnętrzu góry. Jeszcze kilka lat temu wejście do twierdzy goylów tworzyło naturalne skalne pęknięcie u podnóża góry. Teraz bramę zdobiły nefrytowe figury jaszczurów. Po jednej stronie zbocza umieszczono herb królewski, który Kamien przyjął dopiero rok temu: zarys czarnej ćmy na polu z czerwonego chalcedonu. Gdy Jakub przelatywał obok niego, pod jej skrzydełkami przesunął się cień samolotu.

Ukradł królowi goylów jego smoka. Ale nawet to nie zwróci mu brata.

42
DWIE DROGI

Wracali przez rzekę, na której o mało co nie pożarły ich syreny, przez góry, gdzie umarł Jakub, przez splądrowany kraj, w którym księżniczka spała wśród róż, a Will po raz pierwszy patrzył na goyla jak na kogoś ze swoich braci...

Junkers w ciągu kilku godzin przcbył odległość, którą wcześniej pokonywali przez ponad tydzień. Mimo to droga wydawała się Jakubowi równie długa. Z każdym kilometrem coraz bardziej sobie uświadamiał, że nie ma już brata.

„Gdzie jest Will, Jakubie?".

W dzieciństwie młodszy brat ginął mu kilka razy na zakupach lub w parku, ponieważ Jakub wstydził się trzymać go za rękę. Wystarczyło puścić jego drobną dłoń, a już znikał. Pobiegł za wiewiórką, bezdomnym psem, wroną... Któregoś razu Jakub szukał go godzinami, aż znalazł zapłakanego przed wejściem do sklepu. Ale teraz nie było miejsca, w którym mógłby go szukać, żadnej drogi, którą mógłby wrócić i naprawić swój błąd, tę jedną chwilę nieuwagi.

Jakub poleciał na wschód, wzdłuż linii kolejowej. Miał nadzieję, że prowadzi do miasta Szwansztajn. W otwartej kabinie panowało dotkliwe zimno, mimo że nie leciał zbyt wysoko. Wiatr zdradziecko uderzał w skrzydła i Jakub przestał robić sobie wyrzuty, skupiając się tylko na walce z chybotaniem maszyny. Gdy samolot zaczynał tracić wysokość, siedzący z tyłu karzeł klął, mimo że musiał być zadowolony, dzieląc wąski fotel z Klarą. Lisica coraz częściej żałośnie skomlała. Jedynie Klara siedziała w milczeniu, jakby wiatr porywał z sobą wszystko, co się wydarzyło w ciągu ostatnich dni.

Latanie.

To było tak, jakby dwa światy zlały się z sobą. Jakby już nie było lustra. Skoro smoki zamieniały się w samoloty, to co teraz się wydarzy?

Lepiej nie oddawać się takim myślom, siedząc za sterem dwupłatowca. Zwłaszcza jeżeli siedzi się tam po raz pierwszy. Buchający z komina lokomotywy dym przesło-

260

nił Jakubowi widoczność. Zbyt gwałtownie poderwał samolot i maszyna zaczęła pikować, jakby sobie przypomniała, że jej miejsce jest na ziemi. Lisica skuliła się, cicho skomląc, a przekleństwa Valianta zagłuszyły krztuszący się silnik.

„Oczywiście. Jak mogłeś zaufać czemuś, co pochodzi od twojego ojca, Jakubie?".

Palce Klary wbiły mu się w ramię. Jaka będzie jego ostatnia myśl? Wspomnienie Willa czy martwych skowronków?

Nie dowiedział się tego.

Silny podmuch wiatru powstrzymał upadek samolotu i Jakubowi udało się poderwać maszynę, zanim zahaczyła o pierwsze wierzchołki drzew. Leciała nierówno, jak postrzelony ptak, lecz Jakub zdołał posadzić ją na grząskim wzniesieniu. Podczas uderzenia złamał się ster. Jedno skrzydło roztrzaskało się o drzewo, kadłub pękł wskutek szorowania po kamienistym podłożu. W końcu jednak samolot znieruchomiał. Silnik zakasłał po raz ostatni i zgasł. Żyli.

Valiant, jęcząc, wyszedł po skrzydle i zwymiotował pod drzewem. Miał rozbity nos, Klarze gałąź zraniła rękę, ale poza tym nic im się nie stało. Lisica była tak szczęśliwa, że pod łapami czuje twardy grunt, że skoczyła w pościg za pierwszym królikiem, który wychylił się z trawy.

Lisica spojrzała na Jakuba z ulgą, zobaczywszy po lewej stronie wzgórze, a na nim znajome ruiny. Istotnie, znajdowali się niedaleko Szwansztajnu. Jakub jednak wpatrywał się w tory biegnące jak stalowy szew u podnóża wzniesienia, na południe. Nie tylko do miasteczka, lecz dalej, o wiele dalej. Aż do Weny, do stolicy cesarstwa. Wydawało mu się, że widzi pięć mostów, pałac, wieże katedry...

– Reckless! Czy ty mnie słuchasz? – Valiant rękawem wycierał sobie z nosa krew. – Jak daleko jeszcze?

– Co? – Jakub nadal wpatrywał się w szyny.

– Do twojego domu. Moje złote drzewo!

Jakub nie odpowiedział. Spoglądał na wschód, gdzie spośród wzgórz wyłonił się pociąg, przez który omal się nie rozbili. Biały dym i czerń metalu.

– Lisico. – Ukląkł obok niej. Jej futro nadal było zmierzwione przez wiatr. – Chcę, żebyś odprowadziła Klarę do ruin. Przyjdę do was za kilka dni.

Nie pytała, dokąd idzie. Spojrzała na niego, jakby od dawna już wiedziała. Tak było zawsze. Znała go lepiej niż on sam siebie. Jakub dostrzegł jednak, że nieustanny lęk o niego ją zmęczył. I poczuła też gniew. Nie wybaczyła mu ani skowronkowej wody, ani tego, że bez niej wyruszył do twierdzy. Teraz znowu ją zostawi.

„Poddaj się wreszcie!" – mówiły jej oczy.

„Jak mam to zrobić, Lisico?".

Podniósł się.

Pociąg rósł, pożerając łąki i pola. Lisica patrzyła nań, jakby sama śmierć nim podróżowała.

Dziesięć godzin do Weny.

„A potem, Jakubie?".

Nie wiedział nawet, na którą godzinę wyznaczono ślub. Nie chciał o tym myśleć. Jego myśli miały barwę nefrytu.

Potykając się, zbiegł ze wzgórza. Zaskoczony Valiant pobiegł za nim, lecz Jakub nawet się nie obejrzał. Powietrze wypełnił dym i łoskot pociągu. Jakub przyspieszył kroku, uczepił się wagonu i stanął na schodku.

Dziesięć godzin. Czas, by zasnąć i zapomnieć o wszystkim. Oprócz tego, co Czerwona Nimfa powiedziała mu o swojej czarnej siostrze.

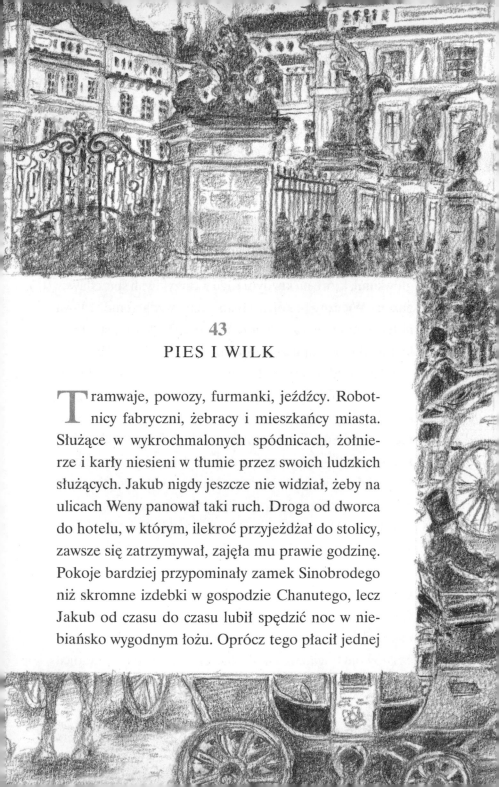

43
PIES I WILK

Tramwaje, powozy, furmanki, jeźdźcy. Robotnicy fabryczni, żebracy i mieszkańcy miasta. Służące w wykrochmalonych spódnicach, żołnierze i karły niesieni w tłumie przez swoich ludzkich służących. Jakub nigdy jeszcze nie widział, żeby na ulicach Weny panował taki ruch. Droga od dworca do hotelu, w którym, ilekroć przyjeżdżał do stolicy, zawsze się zatrzymywał, zajęła mu prawie godzinę. Pokoje bardziej przypominały zamek Sinobrodego niż skromne izdebki w gospodzie Chanutego, lecz Jakub od czasu do czasu lubił spędzić noc w niebiańsko wygodnym łożu. Oprócz tego płacił jednej z pokojówek za to, żeby zawsze miała dla niego w zapasie kilka czystych ubrań, odpowiednich nawet na audiencję w pałacu. Na dziewczynie nie zrobiło najmniejszego wrażenia, że oddał jej poplamione krwią ubranie. Była przyzwyczajona.

Dzwony miejskie wybiły dwunastą, gdy Jakub wyruszył w drogę do pałacu. Na wielu rozwieszonych na ścianach domów plakatach z wizerunkiem młodej pary wypisano antygoylowskie hasła. Konkurowały z pompatycznymi nagłówkami, które na każdym rogu wykrzykiwali sprzedawcy gazet: „Wieczny pokój... Historyczne wydarzenie... Dwa potężne mocarstwa... Nasze narody...". Po obu stronach lustra lubiono napuszone słowa.

Jakub kiedyś pozował temu samemu dworskiemu fotografowi, który uwiecznił młodą parę. Człowiek ten znał swój fach, lecz tym razem stanęło przed nim trudne zadanie. Uroda Amalii z Austrazji – zasługa lilii przywiezionej z wyspy nimf – była zimna jak porcelana. Jej twarz nawet na co dzień nie miała wyrazu. Narzeczony natomiast wyglądał na zdjęciach jak płomień wykuty z kamienia.

Przed pałacem zebrał się tak wielki tłum, że Jakub z trudem przedostał się do wykutej w żelazie bramy. Gdy tylko tam dotarł, cesarscy gwardziści wycelowali w niego bagnety. Na szczęście pod jednym z hełmów zdobnych w pióropusz dostrzegł znajomą twarz. Justus Kronsberg, najmłodszy syn wiejskiego szlachcica. Rodzina zawdzięczała swoje bogactwo okoliczności, że na łąkach jego ojca żyły roje elfów. Ich przędza i szlachetne kamienie zdobiły wiele dworskich strojów.

Cesarzowa na członków dworskiej gwardii wybierała wyłącznie kandydatów mierzących co najmniej dwa metry. Justus Kronsberg przewyższał Jakuba o pół głowy, nie wliczając hełmu. Rzadkie wąsy nie zdołały ukryć, że nadal ma dziecięcą twarz.

Jakub przed laty obronił jednego z braci Justusa przed czarownicą rozsierdzoną tym, że odrzucił względy jej córki. Ojciec w podziękowaniu wysyłał mu co roku tyle opalu, że wystarczało go na guziki do wszystkich jego ubrań. Niestety, nie chroniły przed złośliwymi skrzatami i diablikami.

– Jakub Reckless! – Młody Kronsberg mówił miękkim dialektem, jaki słyszało się we wsiach wokół stolicy. – Nie dalej jak wczoraj ktoś mi powiedział, że goyle cię zabili.

– Naprawdę?

Jakub mimowolnie dotknął piersi. Odcisk ćmy nadal tam był.

– Gdzie zakwaterowali pana młodego? – spytał, gdy Kronsberg otworzył mu bramę. – W północnym skrzydle?

Pozostali strażnicy przyglądali mu się nieufnie.

– A gdzież indziej? – Kronsberg zniżył głos. – Wracasz po wypełnieniu kolejnego zadania? Słyszałem, że cesarzowa wyznaczyła aż trzydzieści złotych talarów w zamian za czarodziejski worek, odkąd Koślawy Król chwali się, że go ma.

Czarodziejski worek. Chanute miał taki. Jakub był świadkiem, jak skradł go jakiemuś diablikowi. Nawet jednak Chanute nie był na tyle pozbawiony sumienia, żeby taką rzecz oddawać w ręce cesarzowej. Wystarczyło bowiem wypowiedzieć imię wroga i ten bez śladu ginął w worku. Koślawy Król podobno w ten sposób pozbył się setek ludzi.

Jakub spojrzał w górę, w stronę balkonu, na którym cesarzowa jutro miała przedstawić poddanym młodą parę.

– Nie przyszedłem tu z powodu worka – odparł. – Przyniosłem prezent dla panny młodej. Pozdrów ode mnie brata i ojca.

Justus Kronsberg był wyraźnie zawiedziony, że niczego więcej się nie dowiedział. Mimo to otworzył Jakubowi bramę na pierwszy zamkowy dziedziniec. W końcu to dzięki niemu jego brat nie został ropuchą na dnie jakiejś studni lub – co wiele czarownic ostatnio praktykowało – dywanikiem pod nogi lub tacą pod ich serwis do herbaty.

Minęły już trzy miesiące, odkąd Jakub po raz ostatni był w pałacu. Tutejsi cesarze na niczym nie oszczędzali, zwłaszcza w północnym skrzydle. W końcu wzniesiono je, żeby ukazać gościom bogactwo i potęgę cesarstwa. Kolumny w holu zdobiły owoce i kwiaty ze złota. Podłogę wykonano z białego marmuru, ściany zaś pokryto malowidłami przedstawiającymi najciekawsze miejsca w kraju, najwyższe szczyty, najstarsze miasta, najpiękniejsze zamki. Ruina, w której znajdowała się wieża i lustro, na obrazie widniała jeszcze w dawnej okazałości, a u jej stóp rozciągało się, wówczas jeszcze idylliczne, miasteczko Szwansztajn. Namalowanych wzgórz nie przecinały drogi ani tory kolejowe. Wśród nich roiło się natomiast od wszystkiego, na co przodkowie cesarzowej namiętnie polowali: olbrzymów i czarownic, wodników i syren, jednorożców i ludojadów.

Wzdłuż schodów wiodących na wyższe piętra wisiały już nie tak pogodne obrazy. Kazał je namalować ojciec cesarzowej. Przedstawiały toczone latem i zimą bitwy morskie i lądowe, bitwy z jego bratem w Lotaryngii, kuzynem w Albionie, zbuntowanymi karłami, książętami na wschodzie. Każdy gość, niezależnie od tego, skąd przybył, z pewnością znalazł obraz ukazujący jego kraj w wojennych zmaganiach z cesarstwem. I, rzecz jasna, ów kraj zawsze należał do pokonanych. Jedynie goyle, idąc po schodach, nie oglądali swych przodków ponoszących klęskę na polach bitewnych, gdyż odkąd podjęli walkę z ludźmi, zawsze zwyciężali.

Dwaj strażnicy, których Jakub spotkał na schodach, nie zatrzymali go, mimo że miał przy sobie broń. Pomykający za nimi służący skłonili mu się z szacunkiem. Wszyscy w północnym skrzydle znali Jakuba, gdyż Teresa z Austrazji chętnie go wzywała, by ważnych gości oprowadzał po komnatach dziwów i opowiadał im prawdziwe lub zmyślone historie o wystawionych tam skarbach.

Goylów ulokowano na drugim, najokazalszym piętrze. Jakub dostrzegł ich straże, gdy sprawdzał pierwszy korytarz. Spojrzeli w jego stronę, on jednak zachowywał się, jakby ich nie widział. Skręcił w lewo, gdzie tuż obok schodów znajdowała się sala, w której cesarzowa wykazywała swoje zainteresowanie resztą świata. Wyeksponowano tam pamiątki z podróży członków jej rodziny.

Sala była pusta, na co Jakub liczył. Goylów nie zainteresowała czapka ze skóry trolla, przywieziona przez pradziadka cesarzowej z Jetlandii, ani buty karła z Albionu. Wszystko zaś, co o nich samych napisano w księgach zgromadzonych w ściennych regałach wokół sali, z pewnością nie przypadłoby im do gustu.

Północne skrzydło było znacznie oddalone od komnat zajmowanych przez cesarzową. Gościom dawało to złudzenie prywatności. Za ścianami stworzono jednak sieć tajemnych korytarzy, z których można było obserwować każdy pokój, a do niektórych nawet wejść. Jakub w ten sposób złożył kilka nocnych wizyt córce pewnego ambasadora. Do korytarza wchodziło się przez zamaskowane drzwi. Jedne z nich ukryto za pamiątką cesarskiej podróży do Lotaryngii. Zasłona była wyszyta perłami wydobywanymi z żołądków trudniących się kradzieżą skrzatów, a znajdujące się za nią drzwi wyglądały jak fragment drewnianej boazerii.

Jakub, wszedłszy do ciemnego korytarza, wyczuł pod nogą martwego szczura. Cesarzowa kazała je regularnie truć, lecz gryzonie uwielbiały jej tajemne przejścia. W ścianie co trzy metry pozostawiono otwory wielkości paznokcia. Po drugiej stronie maskowały je stiukowe ornamenty lub weneckie lustra. W pierwszej sali, do której Jakub zajrzał, pokojówka odkurzała meble. W drugiej i trzeciej goyle utworzyli prowizoryczne gabinety i Jakub odruchowo wstrzymał oddech, ujrzawszy Hentcaua siedzącego za jednym ze stołów. Nie z jego powodu tu jednak przyszedł.

W ciemnym i ciasnym przejściu było duszno i serce zaczęło mu szybciej bić. Przez cienkie ściany słychać było śpiew garderobianej i brzęk talerzy. Jakub szybko wyłączył latarkę, usłyszawszy tuż obok pokasływanie. Oczywiście. Teresa kazała podsłuchiwać wszystkich swoich gości. Dlaczego miałaby postąpić inaczej ze swoim największym wrogiem, mimo że oddawała mu za żonę własną córkę?

Przed nim rozbłysła gazowa lampa. Oświetliła człowieka tak bladego, jakby całe życie spędził w mrocznych korytarzach. Jakub wstrzymał oddech i skrył się w ciemności, aż cesarski szpieg minął go i zniknął za ukrytymi drzwiami. Jeżeli poszedł, żeby sprowadzić zmiennika, Jakubowi pozostało niewiele czasu.

Szpieg obserwował pomieszczenie, którego Jakub szukał. Rozpoznał głos Czarnej Nimfy, zanim jeszcze zobaczył ją przez maleńki otwór. Komnatę oświetlało zaledwie kilka świec. Zasłony były zaciągnięte, lecz przez bladozłoty brokat przesączały się słoneczne promienie. Stała w oknie, jak gdyby dodatkowo chciała ukochanego chronić przed światłem. Jej skóra nawet w mroku lśniła jak blask księżyca.

„Nie patrz na nią, Jakubie".

Król goylów stał przy drzwiach. Ogień w ciemności. Jakubowi zdało się, że nawet przez ścianę wyczuwa jego niecierpliwość.

– Żądasz, żebym uwierzył w bajki – powiedział Kamien.

Słychać było każde jego słowo. Ten głos zdradzał siłę i umiejętność trzymania nerwów na wodzy.

– Przyznaję, bawi mnie, że wszystko, co robią, zmierza tylko do tego, żebyśmy znowu zniknęli pod ziemią – kontynuował Kamien. – Nie oczekuj jednak, że jestem tak naiwny. Żaden człowiek nie dokona wyłącznie barwą swojej skóry tego, co zdoła wywalczyć najlepsza armia. Nie jestem niezwyciężony i żaden nefrytowy goyl tego nie zmieni. Nawet ten ślub zapewni pokój tylko na jakiś czas.

Nimfa chciała coś powiedzieć, lecz nie dał jej dojść do słowa.

– Na północy wybuchają powstania, na wschodzie mamy spokój tylko dlatego, że sami wolą się nawzajem zabijać. Na zachodzie Koślawy Król pozwala się przekupywać, lecz za moimi plecami się zbroi. Że nie wspomnę już o kuzynie na wyspie. Onyksowemu goylowi nie podoba się kolor mojej skóry. Moje fabryki nie produkują amunicji tak szybko, jak strzelają moi żołnierze. Szpitale polowe są przepełnione, a partyzanci wysadzili dwie najważniejsze linie kolejowe. O ile dobrze pamiętam, w bajkach, które opowiadała mi mama, o tym wszystkim nie było mowy. Niech lud wierzy w nefrytowego goyla i przynoszące szczęście kamienie. Świat tymczasem jest zrobiony z żelaza. – Położył dłoń na klamce i przyglądał się złotym okuciom zdobiącym skrzydło drzwi.

– Robią ładne rzeczy – mruknął. – Pytanie tylko, dlaczego są tak opętani na punkcie złota. Srebro jest o wiele ładniejsze.

– Obiecaj, że on zawsze będzie przy tobie. – Nimfa wyciągnęła dłoń i całe złoto w komnacie pokryło się srebrem. – Również wtedy, gdy będziesz składał małżeńską przysięgę! Obiecaj!

– Przecież on był człowiekiem! Nawet nefryt nie sprawi, żeby moi oficerowi o tym zapomnieli. Ma też mniej doświadczenia od wszystkich moich przybocznych gwardzistów.

– Mimo to ich pokonał! Obiecaj.

Kochał ją. Jakub poznał to po wyrazie jego twarzy. Kochał tak bardzo, że sam się tego obawiał.

– Muszę już iść. – Odwrócił się. Ale gdy chciał otworzyć drzwi, pozostawały zamknięte. – Przestań! – rzucił szorstko.

Skinęła dłonią i drzwi się otworzyły.

– Obiecaj – powtórzyła po raz kolejny. – Proszę!

Jej ukochany jednak wyszedł, nie mówiąc ani słowa, i została w komnacie sama.

„Teraz, Jakubie!".

Próbował wyczuć dłońmi ukryte drzwi, lecz nie znajdował niczego oprócz drewnianej ściany.

Nimfa podeszła do drzwi, przez które wyszedł jej ukochany.

„Pospiesz się, Jakubie. Jeszcze jest sama. Na zewnątrz będą straże!".

Może kopniakiem mógłby przebić ścianę. Lecz co potem? Sam hałas ściągnąłby tuzin goylów. Jakub nadal stał w wąskim przejściu, nie wiedząc, co ma zrobić, gdy do ciemnego pokoju wszedł żołnierz goyl.

Nefrytowa skóra.

Jakub po raz pierwszy zobaczył brata ubranego w szary mundur. Will wyglądał w nim tak, jakby nigdy nie nosił niczego innego. Nic nie wskazywało na to, że kiedyś był człowiekiem. Może jego usta były trochę pełniejsze niż u pozostałych goylów, a włosy delikatniejsze, lecz nawet mowa jego ciała była inna.

I patrzył na Czarną Nimfę, jakby była dla niego całym światem.

– Słyszałam, że wytrąciłeś z ręki broń najlepszemu przybocznemu gwardziście Kamiena.

Pogłaskała Willa po twarzy. Tej samej, którą jej zaklęcie zamieniło w nefryt.

– Nie jest nawet w połowie tak dobry, jak sądzi.

Jego brat nigdy tak nie mówił. Willowi nie zależało na rywalizacji ani na tym, żeby z kimkolwiek się mierzyć. Choćby ze swoim bratem.

Czarna Nimfa uśmiechnęła się, gdy Will niemal czule ujął rękojeść szabli.

Palce z kamienia.

„Zapłacisz za to – pomyślał Jakub, czując, jak ogarnia go nienawiść i ból. – A twoja siostra wyznaczyła cenę".

Na śmierć zapomniał o szpiegu. Mężczyzna otworzył szeroko oczy z przerażenia, gdy jego lampa z ciemności wyłuskała postać Jakuba. Ten uderzył go lampą w skroń i podtrzymał osuwające się ciało. Jedno z chudych ramion otarło się jednak o drewnianą ścianę i lampa gazowa upadła na podłogę, zanim Jakub zdołał ją złapać.

– Co to było? – usłyszał pytanie Czarnej Nimfy.

Jakub zgasił latarkę i wstrzymał oddech.

Kroki.

Poszukał dłonią pistoletu, zanim pojął, kto zbliżał się do drewnianej ściany.

Will rozbił ją kopnięciem, jakby była z kartonu. Jakub nie czekał, aż jego brat przeciśnie się przez połamane drewno. Pobiegł w kierunku ukrytych drzwi. Czarna Nimfa tymczasem wzywała już straże.

„Zatrzymaj się, Jakubie".

Nic nie wzbudziło w nim dotąd takiego lęku jak ścigające go kroki. Will w ciemności widział nie gorzej niż lis. I był uzbrojony.

„Postaraj się wyjść z mroku, Jakubie. Tu ma przewagę".

Jakub zdarł zasłonę, wypadając przez ukryte drzwi do komnaty.

Nagłe światło oślepiło Willa. Uniósł rękę, by przysłonić oczy, i wtedy Jakub wytrącił mu z dłoni szablę.

– Nie podnoś jej, Will! – powiedział.

Wycelował w niego pistolet. Will mimo to się schylił. Jakub kopnięciem próbował wytrącić mu szablę z ręki, lecz tym razem brat był szybszy.

„On cię zabije. Strzelaj!".

Jednak nie mógł. Nadal była to twarz jego brata, mimo że z nefrytu.

– Will, to ja!

Will uderzył go głową w twarz. Jakubowi krew popłynęła z nosa i ledwie udało mu się odepchnąć szablę brata, zanim klinga zdołała rozciąć mu pierś. Kolejny atak zranił mu przedramię. Will walczył jak goyl, bez wahania, chłodno i precyzyjnie. Gniew pokonywał wszelki lęk.

„Słyszałem, że wytrąciłeś z ręki broń najlepszemu przybocznemu gwardziście Kamiena. Nie jest tak dobry, jak sądzi".

Jeszcze jedno natarcie.

„Broń się, Jakubie".

Ostrze trafiało w ostrze, hartowany metal zastąpił drewnianą broń, którą walczyli w dzieciństwie. Dawno temu. Nad nimi światło słoneczne igrało w szklanych kwiatach żyrandola. Czarownice na dywanie tańcem sprowadzały wiosnę. Will oddychał ciężko. Obaj walczyli z takim zapamiętaniem, że gwardzistów cesarskich dostrzegli dopiero wówczas, gdy ci skierowali na nich lufy długich strzelb. Will cofnął się na widok białych mundurów, Jakub zaś automatycznie osłonił go, jak to robił zawsze. Jego brat nie potrzebował jednak pomocy. Goyle też tu byli. Wyszli z ukrytych drzwi. Szare mundury z tyłu, białe przed nimi.

Will opuścił szablę dopiero wtedy, gdy jeden z goylów ostro mu to nakazał.

Bracia.

– Ten człowiek próbował wtargnąć do komnat króla!

Ich oficer, onyksowy goyl, prawie bez akcentu mówił językiem używanym w cesarstwie. Will nie spuszczał Jakuba z oka, stając u jego boku. Twarz ciągle ta sama, a jednak to nie był jego brat. Jak pies nie jest wilkiem. Jakub odwrócił się do niego plecami. Nie mógł patrzeć. To było ponad siły.

– Nazywam się Jakub Reckless. – Podał gwardzistom szablę. – Muszę porozmawiać z cesarzową.

Gwardzista, który przejął szablę, szepnął coś oficerowi do ucha. Może w którymś z korytarzy jeszcze wisiał portret Jakuba? Cesarzowa kazała go namalować, gdy przywiózł jej szklany pantofelek.

Will odprowadzał Jakuba wzrokiem, gdy ten odchodził pod eskortą straży.

„Jakubie, zapomnij, że miałeś brata. On zapomniał".

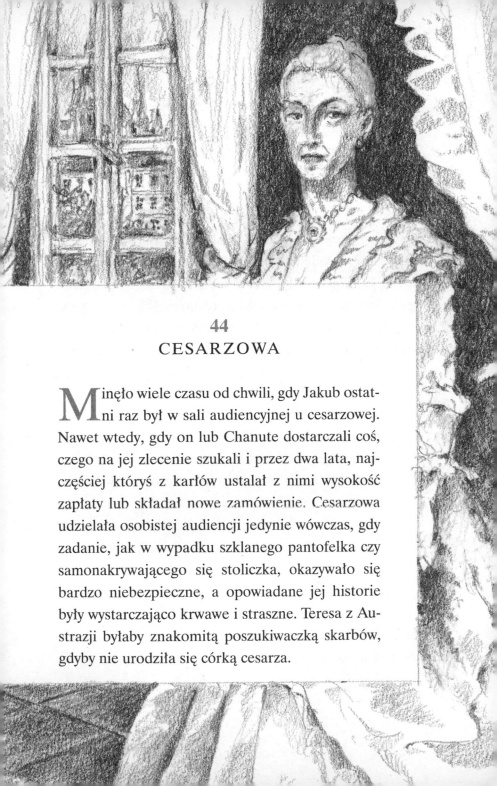

44
CESARZOWA

Minęło wiele czasu od chwili, gdy Jakub ostatni raz był w sali audiencyjnej u cesarzowej. Nawet wtedy, gdy on lub Chanute dostarczali coś, czego na jej zlecenie szukali i przez dwa lata, najczęściej któryś z karłów ustalał z nimi wysokość zapłaty lub składał nowe zamówienie. Cesarzowa udzielała osobistej audiencji jedynie wówczas, gdy zadanie, jak w wypadku szklanego pantofelka czy samonakrywającego się stoliczka, okazywało się bardzo niebezpieczne, a opowiadane jej historie były wystarczająco krwawe i straszne. Teresa z Austrazji byłaby znakomitą poszukiwaczką skarbów, gdyby nie urodziła się córką cesarza.

Siedziała za biurkiem, gdy gwardziści wprowadzili Jakuba. Miała na sobie jedwabną suknię wyszywaną opalami, złotożółtą jak róże na jej biurku. O jej urodzie opowiadano legendy, lecz wojna i klęska pozostawiły na twarzy cesarzowej swój ślad. Linie na czole wyostrzyły się, cienie pod oczami się pogłębiły, a jej spojrzenie stało się jeszcze chłodniejsze.

Jeden z generałów i trzej ministrowie stali przy oknach, przez które widać było dachy i wieże miasta oraz góry zdobyte już przez goylów. Adiutanta opartego o popiersie przedostatniego cesarza Jakub rozpoznał dopiero wtedy, gdy tamten się odwrócił. Donersmark. Towarzyszył Jakubowi w trzech wyprawach na polecenie cesarzowej. Dwie z nich zakończyły się pomyślnie i przyniosły Jakubowi bardzo dużo pieniędzy, a Donersmarkowi order. Byli przyjaciółmi, lecz spojrzenie, jakie teraz rzucił Jakubowi, wcale tego nie zdradzało. Na białym mundurze przybyło mu kilka orderów i gdy podchodził do generała, widać było, że powłóczy lewą nogą. W porównaniu z wojną poszukiwanie skarbów okazywało się niewinną zabawą.

„Wtargnął do pałacu. Stworzył zagrożenie dla gości. Jeden z moich szpiegów stracił przytomność po uderzeniu w głowę".

Cesarzowa odłożyła na bok obsadkę i skinieniem przywołała karła stojącego obok biurka. Ten, odsuwając krzesło cesarzowej, nie spuszczał Jakuba z oka. Karły służące tutejszym cesarzom w ciągu wieków udaremniły ponad tuzin zamachów na ich życie i Teresa z Austrazji co najmniej trzech z nich stale miała u swojego boku. Podobno nie lękali się nawet kuzynów wymarłych olbrzymów.

Auberon, faworyt cesarzowej, poprawił jej suknię, zanim wyszła zza biurka. Nadal była szczupła jak młoda dziewczyna.

– Co to ma znaczyć, Jakubie? Miałeś poszukiwać klepsydry. Tymczasem pojedynkujesz się w pałacu z gwardzistą przybocznym mojego przyszłego zięcia.

Spuścił głowę. Nie lubiła, gdy ktoś patrzył jej w oczy.

– Nie miałem wyboru. Zaatakował mnie, broniłem się. Rozcięte ramię nadal krwawiło. Nowy podpis jego brata.

– Niech wasza wysokość wyda go wrogowi – powiedział jeden z ministrów. – Albo jeszcze lepiej: proszę kazać go rozstrzelać dla potwierdzenia woli zawarcia pokoju.

– Nonsens – odrzekła cesarzowa z rozdrażnieniem. – Jakby ta wojna już nie dość mnie kosztowała. On jest najlepszym poszukiwaczem skarbów, jakiego mam! Lepszym nawet od Chanutego.

Podeszła tak blisko do Jakuba, że poczuł zapach jej perfum. Ponoć kazała dodawać do nich czarodziejskiego maku. Kto zbyt mocno wciągnął ich zapach, robił wszystko, czego od niego wymagano – w przekonaniu, że to jego własna wola.

– Ktoś cię opłacił? – spytała. – Ktoś, komu ten traktat pokojowy się nie podoba? Przekaż mu: mnie on również się nie podoba.

– Wasza cesarska mość! – Ministrowie z takim popłochem spojrzeli ku drzwiom, jakby ich podsłuchiwali goyle.

– Och, uciszcie się! – ofuknęła ich cesarzowa. – Ten traktat opłacam własną córką.

Jakub spojrzał na Donersmarka, ten jednak unikał jego wzroku.

– Nikt mnie nie opłacił – odparł. – I to nie ma nic wspólnego z waszym traktatem pokojowym. Jestem tu z powodu Czarnej Nimfy.

Twarz cesarzowej nagle straciła wszelki wyraz, jak twarz jej córki.

– Nimfy?

Starała się, by to zabrzmiało obojętnie, lecz głos ją zdradził. Były w nim nienawiść i wstręt. I gniew. Gniewało ją to, że bała się Czarnej Nimfy.

– Czego od niej chcesz?

– Proszę, bym mógł z nią spędzić pięć minut sam na sam. Obiecuję, że nie pożałujesz tego, pani. Chyba że twojej córce podoba się, że jej narzeczony przywiózł tu swoją ukochaną.

„Ostrożnie, Jakubie".

Był jednak zbyt zrozpaczony, by uważać. Ukradła mu brata. A on chciał go odzyskać.

Cesarzowa i jej generał wymienili spojrzenia.

– Ani śladu respektu, jak u jego mistrza – powiedziała. – Chanute w równie impertynenckim tonie rozmawiał z moim ojcem.

– Tylko pięć minut – powtórzył Jakub. – Jej zaklęcie
odebrało waszej wysokości zwycięstwo. I życie tysiącom
poddanych!

Popatrzyła na niego w zamyśleniu.

– Wasza cesarska mość! – odezwał się generał i zamilkł, gdy posłała mu ostrzegawcze spojrzenie.

Odwróciła się i podeszła do biurka.

– Spóźniłeś się – powiedziała przez ramię do Jakuba. –
Już podpisałam traktat. Przekażcie goylom, że nawdychał
się pyłu elfów – rozkazała, gdy jeden z gwardzistów chwycił rękę Jakuba. – Odprowadźcie go do bramy i wydaj-
cie rozkaz, żeby go więcej nie wpuszczano. I jeszcze, Jakubie! – zawołała, gdy karły otwierały drzwi. – Zapomnij
o klepsydrze. Chcę dostać zaczarowany worek.

45
DAWNE
CZASY

Jakub nie wiedział, jak wrócił do hotelu. Wydawało mu się, że w każdym mijanym oknie wystawowym widzi wykrzywioną nienawiścią twarz brata, a każda nadchodząca z przeciwka kobieta zamieniała się w Czarną Nimfę.

To nie mogło się tak skończyć. Znajdzie ją. Na ceremonii zaślubin. Na dworcu, gdy ze swoim świeżo poślubionym innej ukochanym będzie wsiadała do pociągu. Albo w wiszącym pałacu, mimo czyhających tam węży.

Jakub nie był pewien, co właśnie zmuszało go do działania. Pragnienie zemsty? Nadzieja na to, że jednak uda mu się odzyskać Willa? A może po prostu zraniona duma?

W holu, wśród walizek i uwijających się chłopców hotelowych, czekali dopiero co przybyli goście. Wszyscy zjawili się na ślub. Wśród nich znalazło się nawet kilku goylów. Ściągali na siebie więcej spojrzeń niż najmłodsza siostra cesarzowej. Przyjechała ze wschodu bez swego małżonka i miała na sobie czarne futro, jakby z powodu ślubu siostrzenicy pogrążona była w żałobie.

Ślub miał się odbyć następnego ranka – tyle udało się Jakubowi dowiedzieć. W tej samej katedrze, w której brała ślub cesarzowa Teresa, a wcześniej jej ojciec.

Pokojówka połatała i uprała mu ubranie. Trzymał je pod pachą, otwierając drzwi. Upuścił, ujrzawszy mężczyznę stojącego przy oknie, ale Donersmark się odwrócił, zanim Jakub zdążył wyjąć pistolet. Jego mundur był nieskazitelnie biały, jakby miał odciągać uwagę od tego, że żołnierskie barwy to błoto i krew.

– Czy jest takie miejsce, do którego adiutant cesarzowej nie ma wstępu? – spytał Jakub, podnosząc ubranie i zamykając za sobą drzwi.

– Tajna komnata Sinobrodego. Tam twoje talenty przydadzą się bardziej niż mundur. – Donersmark, kulejąc, podszedł do Jakuba. – Co masz do załatwienia z Czarną Nimfą?

Nie widzieli się prawie rok, lecz wspólna ucieczka przed Sinobrodym czy poszukiwania diabelskiego włosa tworzą więzi, które nie tak łatwo rozerwać. Obaj razem przetrwali to i jeszcze wiele innych rzeczy. Daremnie szukali diabelskiego włosa, lecz to Donersmark odciągnął od Jakuba brunatnego wilka strzegącego szklanego pantofelka, a Jakub uratował go przed atakiem kijów samobijów.

– Co się stało z twoją nogą?

Donersmark stanął naprzeciwko Jakuba.

– A jak myślisz? Tu się toczyła wojna.

Pod oknem turkotały dorożki. Konie rżały, woźnice klęli. Ten świat nie różnił się tak bardzo od tamtego po drugiej stronie lustra. Nad bukietem róż stojącym na nocnej szafce obok łóżka brzęczały dwa elfy wielkości trzmiela. W wielu hotelach wpuszczano je do pokojów, ponieważ ich pyłek sprowadzał dobre sny.

– Jestem tu, żeby zadać ci pytanie. Z pewnością się domyślasz, w czyim imieniu. – Donersmark odpędził muchę z białego munduru. – Jeżeli dostaniesz tych pięć minut, król goylów nadal będzie miał ukochaną?

Jakub potrzebował kilku chwil, żeby zrozumieć to, co usłyszał.

– Nie – odpowiedział w końcu. – Nigdy więcej jej nie zobaczy.

Donersmark przyglądał się Jakubowi, jakby z jego twarzy pragnął wyczytać, co zamierza zrobić. W końcu wskazał na jego szyję.

– Nie nosisz już medalionu. Zawarłeś pokój z jej czerwoną siostrą?

– Tak. I zdradziła mi, gdzie jest słaby punkt Czarnej Nimfy.

Donersmark poprawił szablę. Był bardzo dobrym szermierzem, lecz sztywna noga przypuszczalnie wiele zmieniła.

– Zawierasz pokój z jedną siostrą, żeby wypowiedzieć wojnę drugiej. Zawsze tak postępujesz, prawda? Stale musisz być przeciwko komuś, już siać ziarno następnej wojny. – Pokuśtykał w stronę łóżka. – Pozostaje tylko pytanie o powód. Wiem, że ta wojna cię nie interesuje. Dlaczego więc zamierzasz ryzykować śmierć z ręki Czarnej Nimfy?

– Nefrytowy goyl strzegący ich króla jest moim bratem – wyznał.

Donersmark potarł okaleczoną nogę.

– Nie wiedziałem, że masz brata. Przypuszczalnie nie wiem o tobie wielu rzeczy. – Wyjrzał przez okno. – Gdyby nie Czarna Nimfa, wygralibyśmy tę wojnę.

„Nie wygralibyście – pomyślał Jakub. – Ponieważ ich król znacznie lepiej zna się na wojennym rzemiośle niż wy wszyscy razem. Ponieważ mój ojciec im pokazał, jak wyrabiać lepsze strzelby. Ponieważ zrobili z karłów sojuszników. I od wieków podsycacie ich gniew".

Donersmark to wszystko wiedział. O wiele wygodniej było jednak zrzucić winę na Czarną Nimfę. Znów spojrzał w okno.

– Co wieczór po zachodzie słońca wychodzi do cesarskich ogrodów. Kamien najpierw każe je przeszukać, lecz jego ludzie niezbyt się do tego przykładają. Wiedzą, że nikt nie może jej nic zrobić. – Odwrócił się. – A jeżeli twojemu bratu nic już nie pomoże? Jeżeli pozostanie jednym z nich? – spytał.

– Jeden z nich wkrótce zostanie mężem córki twojej cesarzowej – odrzekł Jakub.

Donersmark nic na to nie odpowiedział. Na korytarzu za drzwiami rozległy się głosy. Oficer zaczekał, aż ucichną.

– Gdy tylko się ściemni, przyślę do ciebie dwóch ludzi. Zaprowadzą cię do ogrodu. – Kulejąc, minął Jakuba. Przy drzwiach jeszcze się zatrzymał. – Pokazywałem ci go kiedyś? – spytał. Pogładził jeden z medali na kurtce: gwiazdę z herbem cesarzowej pośrodku. – Przyznali mi go, gdy znaleźliśmy szklany pantofelek. Gdy ty go znalazłeś.

Spojrzał na Jakuba.

– Przyszedłem w mundurze. Mam nadzieję, że wiesz, co to znaczy. Uważam cię też za swojego przyjaciela, mimo że niechętnie używasz tego słowa. Niezależnie od tego, co wiesz o Czarnej Nimfie… planujesz samobójstwo. Wiem, że uciekłeś od jej siostry i przeżyłeś, ale ta nimfa jest inna. Jest groźniejsza od wszystkiego, co kiedykolwiek spotkałeś. Idź lepiej na poszukiwanie tajemniczego worka lub drzewa życia. Ognistego konia, człowieka-łabędzia – nieważne. Odeślij mnie do pałacu z wiadomością, że zmieniłeś zdanie. Zawrzyj pokój. Tak jak my wszyscy winniśmy to zrobić.

Jakub dostrzegł w jego oczach ostrzeżenie. I prośbę.

Jednak pokręcił głową.

– Gdy się ściemni, będę tu czekał.

– Byłem tego pewien – powiedział Donersmark.

I zniknął za drzwiami.

46
CZARNA SIOSTRA

Minęła godzina, od kiedy zrobiło się ciemno, lecz na korytarzu przed pokojem Jakuba panowała cisza. Zaczął się już obawiać, że Donersmark próbował go ocalić przed nim samym, gdy wreszcie rozległo się pukanie. W drzwiach nie było jednak cesarskich żołnierzy. Stała w nich kobieta.

Jakub na początku nie poznał Lisicy. Na suknię miała narzucony płaszcz i wysoko upięła włosy.

– Klara po raz ostatni chciała zobaczyć twojego brata – wyjaśniła. W jej głosie czuło się las i lisią sierść. – Przekonała karła, żeby jutro poszedł z nią na ślub. – Pogładziła płaszcz. – Śmiesznie to wygląda, prawda?

Jakub wciągnął ją do pokoju i natychmiast zamknął za nią drzwi.

– Dlaczego nie wybiłaś tego Klarze z głowy? – spytał.

– Po co?

Skulił się, gdy dotknęła jego rozciętego ramienia.

– Co się stało?

– Nic.

– Klara mówiła, że chcesz odnaleźć Czarną Nimfę. Jakubie? – Ujęła jego twarz w dłonie. Nadal były szczupłe jak dłonie dziewczynki. – To prawda?

Jej brązowe oczy patrzyły mu prosto w serce. Lisica zawsze czuła, kiedy kłamał. Tym razem jednak musiał ją oszukać, w przeciwnym razie pójdzie za nim. Jakub wiele mógł sobie wybaczyć, ale nigdy tego, gdyby przez niego zginęła.

– To prawda. Chciałem to zrobić – odpowiedział. – Ale zobaczyłem Willa. Miałaś rację. Już za późno.

„Lisico, uwierz mi. Proszę".

Znów ktoś zapukał do drzwi. Tym razem to byli ludzie Donersmarka.

– Jakub Reckless?

Dwaj żołnierze stojący w progu byli niewiele starsi od Willa.

Jakub pociągnął Lisicę na korytarz.

– Idę z Donersmarkiem do knajpy. Jeżeli jutro chcesz się wybrać z Klarą na ślub, to proszę. Ja jednak pierwszym pociągiem jadę do Szwansztajnu.

Jej wzrok wędrował z Jakuba na żołnierzy i znów na niego. Czarna Nimfa z pewnością była już w cesarskim ogrodzie.

Nie wierzyła mu. Jakub czytał to z jej twarzy. Jakżeby inaczej? Nikt nie znał go lepiej. Nawet on sam. W ludzkim stroju wyglądała bezbronnie, lecz na pewno pójdzie za nim. Obojętne, co Jakub powie.

Lisica nie odzywała się ani słowem, gdy wraz z żołnierzami szli do windy. Nadal była zagniewana z powodu skowronkowej wody. Za chwilę dopiero wybuchnie prawdziwym gniewem.

– Bardzo ci do twarzy w tym płaszczu – powiedział, gdy stanęli przed windą. – Wyglądasz bardzo ładnie, ale wolałbym, żebyś tu nie przychodziła. Nie wolno jej iść za mną – zwrócił się do żołnierzy. – Jeden z was musi z nią zostać.

Lisica próbowała zmienić postać, lecz Jakub chwycił ją za ramię. Skóra przy skórze – to powstrzymywało powrót lisiej sierści. Rozpaczliwie próbowała się wyswobodzić, lecz Jakub jej nie puszczał i jednemu z żołnierzy wcisnął do ręki klucz od pokoju. Żołnierz, mimo dziecięcej twarzy, był potężnej postury i z pewnością będzie dobrze strzegł Lisicy.

– Dopilnuj, żeby nie wyszła z pokoju do jutra rana – polecił mu Jakub. – I uważaj. Ona potrafi zmieniać postać.

Żołnierz nie wyglądał na zachwyconego swoim zadaniem, ale skinął głową i ujął ramię Lisicy. Jakub cierpiał, widząc rozpacz w jej oczach, lecz sama myśl, że mógłby ją stracić, bolała jeszcze bardziej.

– Ona cię zabije! – Rozpłakała się ze złości i rozpaczy.

– Być może – odrzekł Jakub. – Nie będzie jednak lepiej, jeżeli to samo zrobi z tobą.

Żołnierz ciągnął ją do drzwi pokoju. Szarpała się tak samo, jak to by zrobił lis, a przed drzwiami prawie się wyrwała.

– Jakubie! Nie idź!

Jej głos słyszał jeszcze, gdy winda zatrzymała się w holu na dole, i przez chwilę rzeczywiście chciał wrócić. Choćby tylko po to, żeby zmazać z jej twarzy złość i strach.

Drugi żołnierz poczuł widoczną ulgę, że to nie on został wybrany do pilnowania Lisicy. W drodze do pałacu opowiedział Jakubowi, że pochodzi z wioski na południu kraju i że życie żołnierza nadal wydaje mu się ciekawe, ale najwyraźniej nie miał pojęcia, z kim Jakub zamierza się spotkać w cesarskim ogrodzie.

Wielką bramę z tyłu pałacu tylko raz w roku otwierano dla ludu. Długo trwało, zanim jego przewodnikowi wreszcie udało się odryglować zamek. Jakub zatęsknił za magicznym kluczem i wszystkimi innymi przedmiotami, które stracił w twierdzy goylów. Gdy tylko prześliznął się przez bramę, żołnierz znowu założył łańcuch, lecz pozostał na miejscu, odwrócony plecami. Ostatecznie Donersmark będzie chciał wiedzieć, czy wyprawa Jakuba się udała.

Z daleka dobiegały odgłosy miasta: powozów i koni, pijaków, ulicznych handlarzy i nawoływań nocnych stróżów. Ale za murami ogrodu cicho szemrały fontanny cesarzowej, a w gałęziach drzew śpiewały sztuczne słowiki, które Teresa otrzymała na urodziny od jednej z sióstr. W kilku oknach pałacu nadal paliło się światło, lecz na balkonach i schodach, w przeddzień cesarskiego ślubu, było upiornie cicho. Jakub próbował nie myśleć o tym, gdzie teraz przebywał Will.

Noc była zimna i jego buty pozostawiały ciemne ślady na pokrytych szronem trawnikach. Trawa głuszyła jednak jego kroki znacznie lepiej niż żwirowane alejki. Jakub nie szukał śladów Czarnej Nimfy. Wiedział, dokąd poszła. W sercu cesarskiego ogrodu znajdował się staw, porośnięty wodnymi liliami tak gęsto jak jezioro nimf. I podobnie jak tam nad ciemną wodą pochylały się wierzby.

Nimfa stała na brzegu. We włosach miała gwiazdy. Dwa księżyce pieściły jej skórę i Jakub zauważył, że jego nienawiść niknie pod wpływem jej urody. Wspomnienie kamiennej twarzy Willa szybko go jednak otrzeźwiło.

Odwróciła się gwałtownie, usłyszawszy jego kroki. Jakub odchylił poły czarnego płaszcza, żeby widać było pod nim białą koszulę, tak jak poradziła mu jej siostra.

„Białe jak śnieg. Czerwone jak krew. Czarne jak heban".

Brakowało jeszcze jednego koloru.

Czarna Nimfa szybkim ruchem rozpuściła włosy i chmura nocnych motyli frunęła ku niemu, ale Jakub przesunął nożem po ręce i wytarł krew w białą koszulę. Ćmy cofnęły się nagle, jakby przypalił im skrzydła.

– Białe, czerwone, czarne… – powiedział, wycierając ostrze w rękaw. – Kolory Śnieżki. Mój brat tak je nazywał. Bardzo lubił tę bajkę. Kto by pomyślał, że mają taką moc?

– Skąd wiesz o tych trzech kolorach? – Nimfa cofnęła się o krok.

– Od twojej siostry.

– Zdradza ci nasze tajemnice w podziękowaniu za to, że ją opuściłeś?

„Nie patrz na nią, Jakubie. Jest zbyt piękna".

Nimfa zdjęła buty i podeszła do brzegu stawu. Jakub czuł jej moc wyraźnie jak chłód nocy.

– Pewnie to, co ty zrobiłaś, trudniej wybaczyć – powiedział.

– Tak, nadal są oburzone moim odejściem. – Zaśmiała się cicho i ćmy schowały się w jej włosach. – Nie mogę sobie jednak wyobrazić, co moja siostra chciała osiągnąć, mówiąc ci o trzech kolorach. Tak jakby ćmy były mi potrzebne, żeby cię zabić.

Cofnęła się, aż woda stawu oblała jej bose stopy, i noc zaczęła drgać, jakby powietrze zamieniało się w czarną wodę.

Jakub poczuł, że coraz trudniej mu oddychać.

– Chcę odzyskać brata.

– Dlaczego? Zrobiłam z niego kogoś, kim zawsze miał być. – Nimfa odgarnęła do tyłu długie włosy. – Wiesz, co myślę? Moja siostra nadal jest w tobie zbyt zakochana, żeby sama mogła cię zabić. Dlatego przysłała cię do mnie.

Poczuł, jak jej uroda każe mu o wszystkim zapomnieć: o nienawiści, która go tu sprowadziła, o miłości do brata i o sobie samym.

„Nie patrz na nią, Jakubie!".

Ścisnął dłonią rozcięte ramię, żeby ból go otrzeźwił. Ból rany zadanej mieczem brata. Tak mocno je ściskał, że krew pociekła mu po palcach, i znowu ujrzał wykrzywioną nienawiścią twarz Willa. Swego utraconego brata.

Czarna Nimfa podeszła do niego.

„Tak. Podejdź tu bliżej".

– Naprawdę jesteś na tyle arogancki, żeby myśleć, że wolno ci tu przyjść i stawiać mi żądania? – zapytała, stając tuż obok niego. – Uważasz, że skoro jedna nimfa nie mogła ci się oprzeć, tak będzie ze wszystkimi?

– Nie. Nie o to chodzi – odparł.

Gdy ujął jej białe ramię, otworzyła szeroko oczy. Noc jak pajęczyna oblepiła mu usta, lecz wypowiedział jej imię, zanim zdążyła obezwładnić mu język.

Odepchnęła go i uniosła ręce, jakby mogła obronić się jeszcze przed zgubnymi dźwiękami. Jej palce jednak już przemieniały się w gałęzie, a stopy wypuszczały korzenie. Z włosów powstały liście, skóra zmieniła się w korę, a jej okrzyk zmieszał się z szumem wiatru w gałęziach wierzby.

– To piękne imię – powiedział Jakub, wchodząc między zwisające gałęzie. – Szkoda, że można je wymawiać tylko w waszej krainie. Czy zdradziłaś je kiedyś swojemu kochankowi?

Wierzba zaskrzypiała, a jej pień pochylił się nad wodą, jakby płakała, patrząc na swoje odbicie.

– Dałaś mojemu bratu skórę z kamienia. Ja daję ci skórę z kory. To chyba uczciwa wymiana, prawda? – Jakub okrył płaszczem zakrwawioną koszulę. – Teraz pójdę poszukać Willa. Jeżeli nadal ma ciało z nefrytu, wrócę i podpalę twoje korzenie.

Jakub nie potrafił powiedzieć, skąd wziął się głos. Może rozległ się tylko w jego głowie, lecz słyszał go tak wyraźnie, jakby każde słowo szeptała mu do ucha.

– Uwolnij mnie, a zwrócę twojemu bratu jego ludzkie ciało.

– Twoja siostra uprzedziła mnie, że to powiesz. I że nie wolno mi uwierzyć – odrzekł.

– Przyprowadź go do mnie, a udowodnię ci to!

– Twoja siostra poradziła mi, żebym zrobił coś jeszcze. – Jakub wyciągnął rękę i zerwał garść srebrzystych liści. Wierzba westchnęła, gdy zawijał je w chustkę. – Mam zanieść liście twojej siostrze – powiedział. – Ale chyba je zachowam i wymienię za ciało swojego brata.

Staw był srebrnym lustrem, a dłoń, którą wcześniej dotknął ręki nimfy, jakby zamarzła.

– Przyprowadzę go do ciebie – oznajmił. – Jeszcze dziś w nocy.

Przez liście wierzby przebiegło drżenie.

– Nie – szepnęły liście. – Kamien go potrzebuje! Musi pozostać u jego boku, do zakończenia ceremonii ślubnej.

– Dlaczego?

– Obiecaj mi to albo ci nie pomogę.

Jakub słyszał jej głos nawet wtedy, gdy staw dawno już zniknął za żywopłotem.

– Obiecaj!

Znowu i znowu.

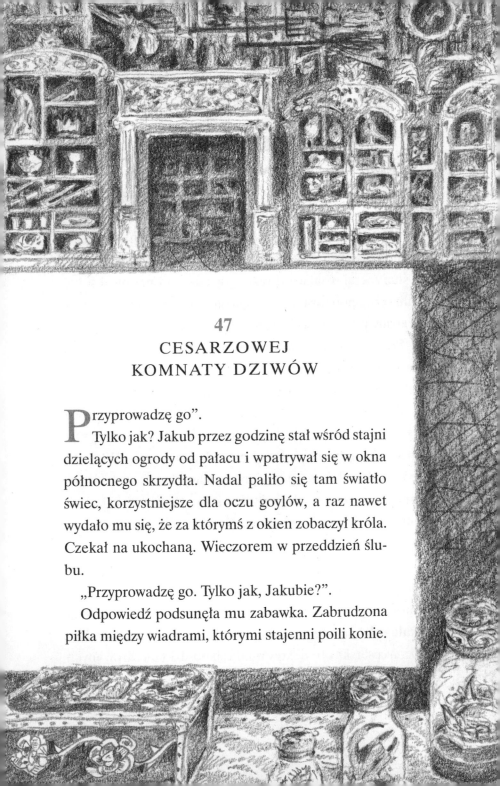

47
CESARZOWEJ
KOMNATY DZIWÓW

Przyprowadzę go".

Tylko jak? Jakub przez godzinę stał wśród stajni dzielących ogrody od pałacu i wpatrywał się w okna północnego skrzydła. Nadal paliło się tam światło świec, korzystniejsze dla oczu goylów, a raz nawet wydało mu się, że za którymś z okien zobaczył króla. Czekał na ukochaną. Wieczorem w przeddzień ślubu.

„Przyprowadzę go. Tylko jak, Jakubie?".

Odpowiedź podsunęła mu zabawka. Zabrudzona piłka między wiadrami, którymi stajenni poili konie.

„Oczywiście. Złota kula".

Trzy lata temu sam sprzedał ją cesarzowej. Kula była jednym z jej ulubionych skarbów i znajdowała się w komnatach dziwów. Ale żaden ze strażników nie wpuści go do pałacu, a niewidzialną maść odebrali mu goyle.

Przez kolejną godzinę szukał ślimaka wytwarzającego śluz. Cesarscy ogrodnicy zabijali wszystkie, które napotkali. W końcu jednak Jakub znalazł dwa na omszałej cembrowinie studni. Ich muszle stały się znowu widoczne, a śluz zaczął działać od razu, gdy tylko posmarował sobie nim skórę pod nosem. Nie było go dużo, lecz na dwie, trzy godziny powinno wystarczyć.

Przed wejściem dla dostawców i posłańców stał tylko jeden strażnik, oparty o mur, i Jakubowi udało się przemknąć, nie budząc go z półuśpienia.

W kuchniach i pralniach nawet nocą trwała praca i któraś ze zmęczonych posługaczek zatrzymała się wystraszona, gdy dotknęło jej niewidzialne ramię. Wkrótce jednak dotarł do schodów prowadzących do pańskich pomieszczeń. Poczuł drętwienie skóry, ponieważ zaledwie kilka dni temu używał śluzu. Na szczęście nie miał objawów paraliżu.

Komnaty dziwów znajdowały się w południowym skrzydle, w najnowszej części pałacu. Sześć sal, które obecnie zajmowały, wyłożono lapis-lazuli. Uważano bowiem, że ta skała osłabia magiczną siłę wystawionych artefaktów. Rodzina cesarska od wieków miała słabość do zaczarowanych przedmiotów i starała się jak najwięcej z nich objąć w posiadanie. Dopiero jednak ojciec obecnej cesarzowej ustanowił prawo, że przedmioty, zwierzęta i ludzi o magicznych właściwościach należy zgłaszać władzom. W końcu niełatwo było rządzić krajem, w którym złote drzewo zamieniało żebraków w książęta, a gadające zwierzęta szeptały robotnikom leśnym do ucha buntownicze idee.

Przed pozłacanymi drzwiami nie było strażników. Dziadek cesarzowej zlecił ich wykonanie kowalowi, który wyuczył się fachu u pewnej czarownicy. Wykute w złocie konary zdobiące skrzydła drzwi pochodziły z zaczarowanych drzew. Kto otworzył drzwi, nie znając ich tajemnicy, ten ginął przekłuty gałęziami. Po naciśnięciu klamki wypadały jak włócznie i podobnie jak drzewa w Czarnym Lesie najpierw celowały w oczy. Jakub jednak wiedział, jak bezpiecznie otworzyć drzwi.

Podszedł blisko, nie dotykając klamki. Wśród wykutych w złocie liści kowal ukrył dzięcioła. Gdy tylko Jakub chuchnął na złotą powierzchnię, jego pióra zabarwiły się jak u żywego ptaka, a drzwi rozwarły się bezgłośnie, jakby otworzył je wiatr.

Komnaty dziwów Austrazji.

Pierwszą salę wypełniały głównie zaczarowane zwierzęta, które skończyły jako myśliwskie trofea cesarskiej rodziny. Gdy Jakub mijał gabloty chroniące wypchane eksponaty przed kurzem i molami, szklane oczy zdawały się śledzić go wzrokiem. Jednorożec. Skrzydlate zające.

Brunatny wilk. Ludzie-łabędzie. Zaczarowane wrony. Mówiące konie. Oczywiście był też lis. Nie tak delikatnej budowy jak Lisica, mimo to Jakub nie był w stanie na niego spojrzeć.

Druga komnata zawierała artefakty pochodzące od czarownic. Bez różnicy, czy były to czarownice leczące, czy pożerające dzieci. Noże oddzielające ludzkie ciało od kości leżały obok igły, która po pierwszym wkłuciu leczyła rany, i sowich piór przywracających wzrok. Były też dwie miotły, na których czarownice latały tak szybko i wysoko jak ptaki, i pierniki ze śmiertelnie niebezpiecznych chat ich sióstr pożerających dzieci.

W gablotach trzeciej komnaty wystawiono łuski syren i wodników. Jeżeli ktoś wziął taką łuskę pod język, mógł nurkować bardzo głęboko i długo. Zgromadzono tu również łuski smoków wszelkich rozmiarów i barw. W każdym zakątku kraju słyszało się pogłoski o nadal żyjących osobnikach. Jakub na północy też widział na niebie cienie podejrzanie przypominające zmumifikowane ciało, które wystawiono w czwartej komnacie. Sam ogon zajmował prawie pół ściany. Patrząc na potężne zęby i pazury, Jakub nieomal poczuł wdzięczność, że cesarska rodzina wytępiła te monstra.

Złota kula, której szukał, leżała w piątej komnacie, na poduszce z czarnego aksamitu. Jakub znalazł ją w grocie wodnika, leżącą obok uprowadzonej córki piekarza. Kula była nie większa od kurzego jaja, opis zaś, przyczepiony do aksamitu, brzmiał prawie jak bajka o żabim królu, którą opowiadano w świecie po drugiej stronie lustra.

Dawniej ulubiona zabawka najmłodszej córki Leopolda Dobrotliwego, dzięki której znalazła męża (późniejszego Wieńczysława Drugiego) i uwolniła go od zaklęcia, które przemieniło go w żabę.

To była jednak tylko część prawdy. Kula stanowiła pułapkę. Każdego, kto ją złapał, wciągała do środka i wypuszczała dopiero po wypolerowaniu złotej powierzchni.

Jakub nożem otworzył gablotę i przez chwilę poczuł pokusę, by zabrać jeszcze kilka innych rzeczy, które mogły zapełnić skrzynię w gospodzie Chanutego. Ale cesarzową wystarczająco zezłości brak kuli. Jakub wsunął ją do kieszeni płaszcza i wtedy w pierwszej komnacie zapaliły się gazowe lampy. Jego ciało znowu stawało się widoczne, więc szybko ukrył się za gablotą, w której znajdował się siedmiomilowy but ze skóry salamandry, sprzedany przez Chanutego ojcu cesarzowej (drugi stał w komnacie dziwów króla Albionu). Kroki odbijały się echem w kolejnych salach, w końcu Jakub usłyszał, jak ktoś otwiera i zamyka gabloty. Nie mógł jednak dostrzec, kto to był, a nie miał odwagi się poruszyć, by kroki go nie zdradziły. Ktokolwiek to był, nie zabawił tu długo. Światło zgasło, ciężkie drzwi się zatrzasnęły i Jakub znowu pozostał sam w ciemności.

Straszliwie go mdliło od ślimaczego śluzu, musiał jednak przejść wzdłuż gablot, żeby sprawdzić, z jakiego powodu przyszedł tu ów drugi nocny gość. Brakowało leczniczej igły czarownicy, dwóch smoczych pazurów, które ponoć chroniły przed zranieniem, i kawałka skóry wodnika, której przypisywano takie samo działanie. Jakub nie mógł tego zrozumieć. W końcu wytłumaczył sobie, że cesarzowa chciała podarować swemu przyszłemu zięciowi kilka magicznych przedmiotów, dzięki którym nie zastąpi go rychło inny, mniej pokojowo nastawiony goyl.

Gdy za Jakubem zamknęły się złocone drzwi, było mu tak niedobrze, że prawie zwymiotował. Czuł skurcze – pierwsze zapowiedzi paraliżu, który ślimaczy śluz mógł wywołać – a pałacowe korytarze ciągnęły się bez końca. Jakub postanowił wrócić do ogrodu. Mur oddzielający go od ulicy był wysoki, lecz włos Roszpunki i tym razem go nie zawiódł. Pozostała mu przynajmniej jedna pożyteczna rzecz.

Przed bramą nadal stał żołnierz Donersmarka, lecz nie zauważył Jakuba, gdy ten się wymykał. Widać było zaledwie zarysy jego ciała, jak u ducha, i nocny stróż przechodzący ulicami upuścił ze strachu na jego widok latarnię.

Na szczęście, gdy Jakub dotarł do hotelu, był już widoczny. Z trudem stawiał kroki i prawie nie mógł zginać palców. Dobrnął jeszcze do windy i gdy stanął przed drzwiami pokoju, przypomniał sobie o Lisicy.

Tak głośno i długo pukał do drzwi, że dwoje gości wychyliło głowy z pokojów, zanim żołnierz wreszcie otworzył. Jakub minął go biegiem i zwymiotował w łazience. Lisicy nigdzie nie było widać.

– Gdzie ona jest? – spytał, gdy wreszcie lepiej się poczuł. Musiał się oprzeć o ścianę, bo osunąłby się na podłogę.

– Zamknąłem ją w szafie! – Żołnierz oskarżycielsko wyciągnął ku niemu dłoń owiniętą zakrwawioną chustką. – Ugryzła mnie!

Jakub, lekko go popychając, skierował do wyjścia.

– Przekaż Donersmarkowi, że to, co obiecałam, zostało załatwione.

Wyczerpany oparł się plecami o drzwi. Jeden z elfów, nadal fruwający po pokoju, pozostawił mu na ramieniu srebrzysty pył.

„Miłych snów, Jakubie".

Lisica przybrała zwierzęcą postać i gdy otworzył szafę, wyszczerzyła zęby. Jeżeli ucieszyła się na jego widok, dobrze to ukrywała.

– To sprawa nimfy? – spytała, widząc ubrudzoną krwią koszulę, i z nieruchomym wyrazem pyska patrzyła, jak nieudolnie próbuje ją zdjąć. Palce miał już sztywne jak drewno. – Wyczuwam ślimaczy śluz.

Lisica lizała sobie futro, jakby chciała zetrzeć miejsca, w których żołnierz ją trzymał.

Jakub usiadł na łóżku, póki jeszcze był w stanie to zrobić. Kolana też mu sztywniały.

– Pomóż mi, Lisico. Muszę jutro iść na ślub, a prawie nie mogę się ruszać.

Przyglądała mu się bardzo długo i Jakub pomyślał, że oduczyła się mówić.

– Może pomogłoby ci mocne ugryzienie – odezwała się w końcu. – I przyznam, że sprawiłoby mi to przyjemność. Przedtem jednak powiedz, co zamierzasz zrobić.

48
ŚLUBNE PLANY

Nad dachami miasta wstała jutrzenka, lecz cesarzowa nie zmrużyła oka. Czekała, godzina za godziną, ale gdy jeden z karłów wprowadził Donersmarka do sali audiencyjnej, wszelkie uczucia na jej twarzy pokrywała maska z pudru.

– Zrobił to – powiedział adiutant. – Kamien już kazał jej szukać, ale jeżeli Jakub mówi prawdę, nie znajdą jej.

Donersmark nie wydawał się uszczęśliwiony, przekazując tę wiadomość, lecz serce Teresy zaczęło mocniej bić. Miała nadzieję to właśnie usłyszeć.

– Dobrze.

Przesunęła dłonią po gładko zaczesanych do tyłu włosach. Posiwiały, lecz je farbowała. Na złoty kolor, jak włosy jej córki. Zachowa ją. Tak samo jak tron. I swoją dumę.

– Wydaj przygotowane rozkazy.

Donersmark spuścił głowę, jak zawsze, gdy coś mu się nie podobało.

– Co? – spytała.

– Możesz, pani, zabić ich króla, lecz jego armie stoją zaledwie trzydzieści kilometrów stąd.

– Bez Kamiena i Czarnej Nimfy są zgubieni – odrzekła cesarzowa.

– Jeden z onyksowych goyli go zastąpi.

– I zawrze pokój! Onyksowi goyle chcą tylko panować pod ziemią.

Była niecierpliwa. Nie chciała myśleć, lecz działać. Zanim umknie okazja.

– Ich podziemne miasta są przepełnione. A jego lud będzie chciał zemsty. Ubóstwiają swojego króla! – nie rezygnował Donersmark.

Był taki uparty. I miał dość wojny. Nikt jednak nie był od niego mądrzejszy. I równie nieprzekupny.

– Powiem to ostatni raz. Wydaj przygotowane rozkazy! – poleciła mu, po czym skinęła na najmłodszego z karłów. – Przynieś mi śniadanie. Jestem głodna.

Karzeł pomknął, lecz Donersmark nadal nie odchodził.

– Co z jego bratem? – spytał.

– A co ma być? Jest przybocznym gwardzistą króla. Oczekuję więc, że umrze razem z nim. Masz rzeczy dla mojej córki?

Donersmark położył wszystko na biurku, na którym w dzieciństwie często siadywała i przyglądała się ojcu, jak podpisywał traktaty i wyroki śmierci. Teraz ona nosiła sygnet z pieczęcią.

Lecząca igła, pazur smoka i skóra wodnika. Teresa z Austrazji podeszła do stołu i przesunęła dłonią po matowych zielonych łuskach, niegdyś pokrywających dłoń wodnika.

– Pazur i skórę każ wszyć w suknię ślubną mojej córki! – rozkazała garderobianej czekającej przy drzwiach. – Igłę dajcie lekarzowi, który będzie w pogotowiu czekał w zakrystii.

Donersmark podał jej kolejny pazur.

– Ten jest dla waszej wysokości.

Zasalutował i się odwrócił.

– Co z Jakubem? Kazałeś go pojmać? – spytała jeszcze.

Adiutant się zatrzymał, jakby rzuciła mu pod nogi trupa. Gdy się jednak odwrócił, jego twarz, podobnie jak cesarzowej, niczego nie wyrażała.

– Żołnierz czekający przed bramą mówi, że nie wyszedł z ogrodu. W pałacu też go nie znaleźliśmy – wyjaśnił.

– I? Obserwowaliście hotel?

Spojrzał jej w oczy, ale nie potrafiła niczego z nich wyczytać.

– Tak. Nie ma go tam.

Cesarzowa pogładziła smoczy pazur w swojej dłoni.

– Znajdź go. Wiesz, jaki on jest. Możesz go wypuścić zaraz po ślubie.

– Dla jego brata będzie za późno.

– Dla jego brata już jest za późno. Jest goylem.

Karzeł wrócił ze śniadaniem. Za oknami pojaśniało, a noc zabrała z sobą Czarną Nimfę. Czas odzyskać to wszystko, co czary nimfy jej ukradły. Na co komu pokój, skoro można zwyciężyć?

49
JEDEN Z NICH

W ill próbował nie słuchać. Był cieniem króla, a cienie pozostawały nieme i głuche. Hentcau jednak mówił tak głośno, że nie dało się tego uniknąć.

– Bez nimfy nie mogę cię chronić, panie. Dodatkowe oddziały, które wczwałcm, przybędą najwcześniej przed nocą i cesarzowa o tym wie!

Kamien zapinał guziki. Pan młody nie włożył fraka, lecz miał na sobie szary mundur. Swoją drugą skórę. W nim pokonał cesarzową, w nim poślubi jej córkę. Pierwszy goyl, który bierze za żonę kobietę--człowieka.

– Wasza wysokość, to do niej niepodobne, żeby znikać bez słowa! – W głosie Hentcaua pobrzmiewało coś, czego Will dotąd nie słyszał: lęk.

– Przeciwnie. Bardzo do niej podobne.

Król kazał Willowi podać sobie szablę.

– Nienawidzi naszego obyczaju brania sobie kilku żon. Choć wystarczająco często jej tłumaczyłem, że ona też ma prawo mieć innych mężczyzn.

Przywiązał szablę do nabijanego srebrem pasa i stanął przed wiszącym przy oknie lustrem. Lśniące szkło coś mu przypomniało. Tylko co?

– Przypuszczalnie od początku to sobie zaplanowała i dlatego kazała ci szukać dla mnie nefrytowego goyla. Jeżeli ma rację – kontynuował król, spoglądając na Willa – teraz dla bezpieczeństwa wystarczy mi jego obecność w pobliżu.

„Nie odstępuj go ani na krok. – Nimfa powtarzała to tak często, że Will słyszał jej słowa we śnie. – Nawet jeżeli każe ci odejść, nie rób tego!".

Była taka piękna. Hentcau mimo to czuł do niej wstręt. A jednak na jej rozkaz trenował Willa – czasem tak ostro, jakby chciał go zabić. Na szczęście ciało goyla goiło się szybko, a strach uczynił z niego tylko lepszego wojownika. Wczoraj wytrącił Hentcauowi szablę z ręki.

– A nie mówiłam? – szepnęła do niego nimfa. – Jesteś urodzonym aniołem stróżem. Może któregoś dnia sprawię, że wyrosną ci skrzydła.

– Kim byłem przedtem? – zapytał wówczas Will.

– Od kiedy motyl pyta o gąsienicę? – odpowiedziała pytaniem. – Zapomina o niej. I kocha to, czym jest.

Tak też robił. Will kochał odporność swojej skóry, siłę i wytrzymałość rąk i nóg, dające goylom tak dużą przewagę nad ludźmi – chociaż wiedział, że został stworzony z ich ciała. Nadal wyrzucał sobie, że pozwolił umknąć tamtemu, który niczym szczur siedział za ścianą królewskiej komnaty. Will nie mógł zapomnieć jego twarzy, szarych oczu bez śladu złota, delikatnych jak nić pajęcza ciemnych włosów, słabej, miękkiej skóry… Wzdrygnął się i powiódł dłonią po swoim gładkim nefrytowym ciele.

– Prawda jest taka, że nie chcesz zawarcia tego pokoju. – W głosie króla słychać było rozdrażnienie i Hentcau spuścił głowę jak stary wilk przed przywódcą stada. – Najchętniej byś ich wszystkich zabił. Co do jednego. Mężczyzn, kobiety i dzieci.

– To prawda – przyznał zachrypnięty Hentcau. – Dopóki przynajmniej jeden z nich żyje, oni również będą chcieli nas pozabijać. Przesuń, panie, ślub chociaż o dzień. Aż nadejdą posiłki.

Kamien na szpony naciągał rękawiczki. Uszyto je ze skóry węży, które mieszkały tak głęboko pod ziemią, że nawet polującym na nie goylom zaczynała się tam topić kamienna skóra. Nimfa opowiedziała Willowi o wężach. Opisała mu tyle rzeczy: aleję umarłych, wodospady z piaskowca, podziemne jeziora i pola ametystowych kwiatów.

Nie mógł się doczekać, aż te wszystkie cuda wreszcie zobaczy na własne oczy.

Król sięgnął po hełm i pogładził zdobiące go kolce jaszczurek. Dla ludzi pióropusze, dla golyów jaszczurcze kolce.

– Dobrze wiesz, jak by to skomentowali: goyl się nas boi, bo nie może się schować pod spódnicą swojej ukochanej. I że od początku wiedzieli, że tę wojnę wygrał tylko dzięki niej.

Hentcau milczał.

– No i co? Wiesz, że mam rację. – Król odwrócił się plecami do oficera, a Will szybko spuścił głowę, gdy podszedł do niego. – Byłem przy niej, gdy o tobie śniła – odezwał się. – W jej oczach widziałem twoją twarz. Jak może się przyśnić coś, co się jeszcze nie wydarzyło, i jak można we śnie widzieć mężczyznę, którego się nigdy wcześniej nie spotkało? Może sobie ciebie wyśniła? Może rozsiała kamienne ciało tylko po to, żebyś ty się narodził?

Will zacisnął palce na rękojeści szabli.

– Wasza wysokość, myślę, że coś w nas zna wszystkie odpowiedzi – odrzekł. – Lecz nie umiemy ich wyrazić słowami. Nie zawiodę cię, panie. To jedno wiem. Przysięgam.

Król spojrzał przez ramię na Hentcaua.

– Posłuchaj tylko. Mój nefrytowy cień nie jest niemy. Czy wraz ze sztuką walki wreszcie nauczyłeś go mówić? – Uśmiechnął się do Willa. – Co ci powiedziała? Że nawet podczas składania przysięgi małżeńskiej masz stać obok mnie?

Mleczne spojrzenie Hentcaua Will poczuł na skórze jak zimny szron.

– Tak powiedziała? – powtórzył król.

Will skinął głową.

– Zatem niech tak będzie. – Kamien odwrócił się do Hentcaua. – Każ zaprzęgać. Król goylów bierze za żonę kobietę-człowieka.

50
PIĘKNA I BESTIA

Ś lub. Córka jako zapłata i biała suknia, żeby
pod nią ukryć krew bitewnych pól. Witra-
że w oknach barwiły światło poranka na niebie-
sko, zielono, czerwono i złoto. Jakub stał za jedną z ozdobionych kwiatami kolumn i obserwował,
jak w katedrze zapełniają się szeregi ławek. Miał
na sobie mundur gwardii cesarskiej. Żołnierz, któremu go zabrał, leżał związany w jednej z bocznych
uliczek za katedrą. Między kolumnami stało tylu
gwardzistów, że jedna obca twarz nie zwracała ni-
czyjej uwagi. W swych białych mundurach stanowili
jedynie jasne plamy w morzu ustrojonych barwnie

gości. Goyle za to wyglądali tak, jakby nagle ożyły kamienie katedry. Chłodne powietrze w ogromnym kościele na pewno im przeszkadzało, lecz półmrok, którego nie rozpraszały nawet tysiące świec, był dla nich stworzony. Will podczas odgrywania nowej roli nie będzie musiał ukrywać oczu za onyksowymi okularami. Nefrytowy goyl.

„Twój brat, Jakubie".

Palcami poszukał w kieszeni złotej kuli.

„Nie, dopiero jak skończy się ślub".

Trudno będzie tak długo czekać. Jakub już prawie trzy noce nie spał, a ręka bolała go od ugryzienia. Lisica usunęła mu z żył truciznę ślimaczego śluzu.

Czekanie...

Zobaczył Valianta z Lisicą i Klarą, idących środkiem kościoła. Karzeł się ogolił i nawet tłoczący się w pierwszych rzędach cesarscy ministrowie nie byli lepiej ubrani od niego. Lisica rozglądała się i twarz jej pojaśniała, gdy między kolumnami dostrzegła Jakuba. Zaraz jednak powrócił na nią dawny niepokój. Nie wierzyła w jego plan. No bo jak? On sam nie bardzo weń wierzył, ale to była ostatnia szansa. Jeżeli Will wyruszy z królem i jego żoną do podziemnej twierdzy, Czarna Nimfa nigdy nie będzie mogła udowodnić, że potrafi cofnąć własne zaklęcie.

Na zewnątrz zrobiło się głośno. Jakby podmuch wiatru poruszył tłum od wielu godzin czekający w napięciu przed katedrą.

Przyjechali. Wreszcie.

Goyle, karły i ludzie, wszyscy odwrócili się i patrzyli w stronę udekorowanych kwiatami głównych drzwi.

Pan młody zdjął czarne okulary i na chwilę zatrzymał się w wejściu. Gdy obok niego pojawił się Will, przez tłum przebiegł szmer. Karneol i nefryt. Tak do siebie pasowali, że nawet Jakub dopiero po chwili sobie uświadomił, iż jego brat nie zawsze tak wyglądał.

Wliczając Willa, Kamienowi towarzyszyło sześciu przybocznych gwardzistów. I Hentcau.

Mimo kamiennych twarzy z pewnością czuli bijącą ku nim nienawiść. Pan młody jednak patrzył przed siebie spokojnie, jakby znajdował się w swoim wiszącym pałacu, a nie w stolicy wroga.

Will przeszedł tak blisko Klary i Lisicy, że bez trudu mogłyby go dotknąć. Twarz Klary stężała z bólu. Lisica, pragnąc pocieszyć dziewczynę, położyła jej rękę na ramieniu.

Kamien właśnie dotarł do stopni ołtarza, gdy pojawiła się cesarzowa. Takiej sukni, koloru kości słoniowej, nie powstydziłaby się sama panna młoda. Czterech karłów, którzy nieśli tren, nie zaszczyciło Kamiena ani jednym spojrzeniem, lecz cesarzowa, zanim weszła po stopniach i zajęła miejsce za przepierzeniem z wyrzeźbionych w drewnie róż, osłaniającym z lewej strony cesarską lożę, uśmiechnęła się do niego życzliwie. Teresa z Austrazji zawsze była zdolną aktorką.

Teraz powinna się pojawić panna młoda.

„Była sobie kiedyś królowa, co przegrała wojnę. Miała jednak córkę".

Nawet organy nie zagłuszyły wrzawy, która obwieściła przybycie Amalii. Cokolwiek tłum stojący po obu stronach ulicy mógł myśleć o panu młodym, ślub cesarskiej córki zawsze był okazją do radości i marzeń o lepszych czasach.

Lalkowato piękna twarz księżniczki wyglądała jak maska, mimo to Jakubowi wydało się, że w idealnych rysach dostrzega coś na kształt radości. Patrzyła na kamiennego oblubieńca, jakby to nie jej matka, lecz ona sama go sobie wybrała.

Kamien oczekiwał jej z uśmiechem. Will nadal stał tuż obok niego.

„Musi zostać u jego boku, dopóki nie odbędzie się cała ceremonia ślubna…".

„Idź szybciej – chciał zawołać do księżniczki Jakub. – Miejcie to za sobą".

Jednak do ołtarza prowadził księżniczkę najwyższy rangą generał jej matki i najwyraźniej się nie spieszył.

Jakub spojrzał na cesarzową. Jej lożę otaczało czterech gwardzistów. Oprócz nich towarzyszyły jej karły – i adiutant. Donersmark szepnął coś do ucha cesarzowej i spojrzał do góry, w stronę chóru. Lecz Jakub nie rozumiał.

„Byłeś ślepy i głuchy, Jakubie".

Księżniczka zrobiła zaledwie kilka kroków, gdy padł pierwszy strzał. Oddał go strzelec ukryty za organami.

Miał dosięgnąć króla, lecz Will w porę odepchnął władcę na bok. Drugi strzał o mały włos nie trafił Willa. Trzeci dosięgał Hentcaua. A Czarną Nimfę więziła wierzbowa kora w cesarskich ogrodach.

„Świetnie pomyślane, Jakubie. Wykorzystali cię jak wytresowanego psa".

Plan zamachu cesarzowa najwyraźniej zataiła przed córką, tak samo jak przed swoimi ministrami, którzy rozpaczliwie szukali schronienia za drewnianymi oparciami ławek. Księżniczka stała bez ruchu, w osłupieniu patrząc na matkę. Generał, który ją przyprowadził, chciał ją pociągnąć za sobą, oboje jednak porwał tłum krzyczących gości, którzy w panice wybiegali z ławek. Dokąd chcieli uciekać? Drzwi kościoła były zamknięte. Cesarzowa najwyraźniej zamierzała się pozbyć nie tylko króla goylów, lecz przy okazji również kilku niewygodnych poddanych.

Lisicy i Klary nigdzie nie było widać. Valianta również. Will stał, ciałem osłaniając króla. Gwardziści przyboczni utworzyli wokół Kamiena kordon z szarych mundurów. Inni goyle usiłowali się do nich przedrzeć, lecz padali jak muchy pod kulami cesarskich żołnierzy.

„A ty im usunąłeś z drogi Czarną Nimfę, Jakubie".

Próbował się przedostać do stopni przed ołtarzem. Gdy tam dotarł, doskoczył do niego jeden z cesarskich karłów. Jakub pchnął go łokciem w brodatą twarz. Krzyki, strzały, krew na jedwabiu i marmurowej posadzce. Cesarscy

323

byli wszędzie. Mimo to goyle bili się dobrze. Will i król, o dziwo, nadal nie odnieśli żadnych ran. Mówiono, że goyle przed walką dodatkowo hartują ciało, rozgrzewając je i spożywając specjalnie w tym celu uprawianą roślinę. Podobne przygotowania najwyraźniej poczynili również przed ślubem króla. Nawet Hentcau znowu już stał na nogach. Tyle że na jednego z jego ludzi przypadało ponad dziesięciu cesarskich żołnierzy.

Jakub ścisnął palcami złotą kulę, lecz niepodobieństwem było wykonać celny rzut. Willa otoczyły białe mundury, a Jakub nie mógł unieść ręki, by nie potrącił go któryś z walczących. Byli zgubieni. Wszyscy. Will. Klara. Lisica.

Padł kolejny goyl. Potem Henctau. W końcu już tylko Will osłaniał króla. Kamiena zaatakowało jednocześnie dwóch cesarskich żołnierzy. Will zabił ich obu, przedtem jednak otrzymał cios szablą w ramię.

„Kamien go potrzebuje".

Nimfa o tym wiedziała. Nefrytowy goyl. Tarcza dla jej ukochanego. Jego brat.

Mundur Willa był przesiąknięty krwią goylów i ludzi. Król walczył z nim ramię w ramię, lecz byli otoczeni przez białe uniformy. Za chwilę nawet skóra goylów im nie pomoże.

„Zrób coś, Jakubie! Cokolwiek!".

Dostrzegł między ławkami lisią skórę i Valianta osłaniającego skuloną postać. Klara. Nie wiedział, czy żyje.

324

Tuż obok nich jeden goyl walczył z czterema cesarskimi. Teresa z Austrazji, stojąc za parawanem z róż, czekała na śmierć swojego wroga.

Jakub przedarł się na szczyt schodów. Donersmark nadal stał obok cesarzowej. Ich oczy się spotkały.

„Ostrzegałem cię" – mówił jego wzrok.

Will walczył z trzema cesarskimi jednocześnie. Po twarzy spływała mu krew. Blada krew goylów.

„Zrób coś, Jakubie".

Gdy sięgnął po chustkę, któryś z cesarskich wpadł na niego i wierzbowe liście wysypały się na pierś jednego z zabitych.

„Po czyjej jesteś stronie, Jakubie?".

Teraz mógł myśleć o swoim bracie. I o Lisicy. I o Klarze. Udało mu się zebrać liście z piersi zabitego i w bitewny zgiełk wykrzyknął imię Czarnej Nimfy.

Kora jeszcze łuszczyła się z jej rąk, gdy nagle pojawiła się na stopniach ołtarza. Długie włosy miała poprzetykane wierzbowymi liśćmi. Uniosła ręce i wokół Willa i jej ukochanego owinęły się pędy ze szkła. Kule i szable odbijały się od nich jak zabawki.

Jakub dostrzegł, że jego brat się osunął, lecz król chwycił go i podtrzymał.

Czarna Nimfa zaczęła rosnąć jak płomień podsycany wiatrem, a z jej włosów wyfrunęły ćmy, tysiące drobnych czarnych ciał. Obsiadały ludzi i karły, były wszędzie dokoła.

Cesarzowa i jej karły próbowali uciec. Ćmy dobrały się jednak i do ich skóry.

Ludzkiej skóry. Lisica miała gęste futro, ale gdzie była Klara?

Jakub wstał i ruszył, przeskakując przez ciała zabitych i rannych, których krzyki i jęki wypełniały kościelną nawę. Zbiegł po stopniach ołtarza. Lisica stała nad skuloną postacią Klary i pyskiem rozpaczliwie starała się wyłapywać ćmy. Valiant leżał obok niej.

Nimfa nadal buchała gniewem jak płomień. Jakub mocniej ścisnął w dłoni liście i przebiegł obok niej. Odwróciła się do niego, jakby na skórze poczuła uścisk jego palców.

– Przywołaj je z powrotem! – krzyknął, padając na kolana obok Klary i Valianta.

Karzeł jeszcze się poruszał, lecz Klara była blada jak papier. Białe, czerwone, czarne. Jakub odgonił ćmy siedzące na jej ciele i upuścił liście, żeby zdjąć białą kurtkę. Było na niej dość krwi, żeby dostarczyć czerwieni, lecz skąd miał wziąć czerń? Ćmy obsiadły go, gdy kurtką osłonił Klarę. Ostatkiem sił zerwał któremuś z zabitych czarną chustkę z szyi i owinął nią rękę Klary. Wszędzie trzepoczące skrzydła i żądła, które wbijały się w ciało jak odłamki szkła. Zsyłały głuchotę o smaku śmierci. Jakub upadł obok karła i poczuł łapy opierające się na jego piersi.

– Lisica!

Nie mógł wymówić słowa. Odpędzała ćmy z jego twarzy, lecz było ich zbyt dużo.

– Białe, czerwone, czarne – szeptał, lecz nie rozumiała, o czym mówi.

Liście... Próbował wymacać je na podłodze, lecz palce miał jak z ołowiu.

– Dość!

Jedno słowo, lecz padło z ust tego, którego Czarna Nimfa w swym gniewie jeszcze była w stanie usłyszeć. Głos króla sprawił, że ćmy wzbiły się w powietrze. Nawet trucizna w żyłach Jakuba zaczęła ustępować, aż pozostało po niej tylko ołowiane zmęczenie. Nimfa znowu zamieniła się w kobietę. Przerażająca postać zniknęła, ustępując miejsca nieskończonemu pięknu.

Valiant, jęcząc, przewrócił się na bok, lecz Klara nadal leżała bez ruchu. Otworzyła oczy, dopiero gdy Jakub się nad nią pochylił. Odwrócił głowę, żeby nie dostrzegła wyrazu ogromnej ulgi na jego twarzy. Wzrokiem szukała Willa.

Tymczasem Will odzyskał siły. Stał za szklaną barierą. Gdy Kamien do niej podszedł, zamieniła się w wodę i rozpłynęła na posadzce, jakby chciała zmyć krew ze stopni ołtarza.

Ćmy obsiadły ciała martwych i rannych goylów. Wielu z nich znowu zaczęło się poruszać. Czarna Nimfa objęła ukochanego, wycierając mu z twarzy bladą krew.

Will szarpnięciem postawił cesarzową na nogi i powalił jednego z jej karłów, który zataczając się, zagrodził mu drogę. Trzech goylów wyganiało z ławek ocalałych. Jakub rozejrzał się, szukając wierzbowych liści, lecz jeden z goylów chwycił go i popchnął na stopnie ołtarza. Lisica skoczyła za nimi. Futro ją ochroniło. Valiant również stał już na nogach.

Z jednej z ławek na samym końcu podniosła się szczupła postać. Biały jedwab, spryskany krwią, i twarz lalki, mimo strachu nadal przypominały maskę.

Księżniczka wyszła niepewnym krokiem i stanęła w środkowym przejściu. Jej welon był podarty. Uniosła suknię, żeby przestąpić martwe ciało generała, który ją wprowadził do kościoła, i jak lunatyczka ruszyła w kierunku ołtarza, ciągnąc za sobą tren, ciężki od krwi.

Jej narzeczony patrzył ku niej, jakby rozważał, czy ma ją zabić sam, czy tę przyjemność zostawić Czarnej Nimfie. Gniew goylów. U ich króla przypominał lodowaty ogień.

– Sprowadź mi jakiegoś księdza! – rozkazał Willowi. – Któryś na pewno pozostał przy życiu.

Cesarzowa popatrzyła na niego z niedowierzaniem. Ledwie trzymała się na nogach, jeden z karłów podszedł i podał jej ramię.

– No i cóż? – zapytał Kamien i zbliżył się do niej z szablą w dłoni. – Próbowałaś mnie zabić, pani. Czy to coś zmienia w naszej umowie?

Spojrzał na swoją narzeczoną stojącą nadal u podnóża schodów.

– Nie – odpowiedziała Amalia zdławionym głosem. – Nic nie zmienia. Ceną nadal jest pokój.

328

– Pokój? – powtórzył i powiódł wzrokiem po ciałach zabitych goylów, których ćmy nie zdołały przywrócić do życia. – Chyba zapomniałem, co to słowo znaczy. W prezencie ślubnym jednak tobie i twojej matce daruję życie.

Ksiądz, którego Will przyprowadził z zakrystii, potykał się o zwłoki. Twarz Czarnej Nimfy była bielsza niż suknia panny młodej, gdy ta szła po schodach do ołtarza. I Kamien, król goylów, poślubił Amalię z Austrazji.

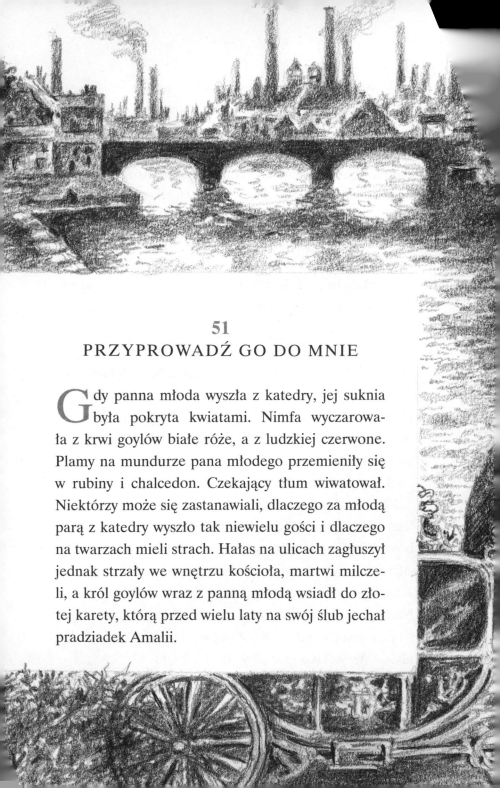

51
PRZYPROWADŹ GO DO MNIE

Gdy panna młoda wyszła z katedry, jej suknia była pokryta kwiatami. Nimfa wyczarowała z krwi goylów białe róże, a z ludzkiej czerwone. Plamy na mundurze pana młodego przemieniły się w rubiny i chalcedon. Czekający tłum wiwatował. Niektórzy może się zastanawiali, dlaczego za młodą parą z katedry wyszło tak niewielu gości i dlaczego na twarzach mieli strach. Hałas na ulicach zagłuszył jednak strzały we wnętrzu kościoła, martwi milczeli, a król goylów wraz z panną młodą wsiadł do złotej karety, którą przed wielu laty na swój ślub jechał pradziadek Amalii.

Przed katedrą czekał długi sznur powozów. Czarna Nimfa, niczym groźba, stała na schodach, podczas gdy ocalali goyle utworzyli szpaler, który udaremniał wszelką próbę ucieczki. Żaden z cesarskich gwardzistów pilnujących tłumu nie pomyślał, że powozy na ich oczach zapełniały się zakładnikami. I że jednym z nich była cesarzowa.

Zachwiała się, gdy Donersmark pomagał jej wsiąść do karety. Przeżył tę masakrę, podobnie jak dwaj z jej karłów. Jednym był Auberon, jej faworyt. Ledwie szedł, a jego brodata twarz była opuchnięta od jadu nocnych motyli. Jakub dobrze wiedział, jak karzeł musiał się czuć. Sam też był odurzony.

Klara czuła się niewiele lepiej, a Valiant, schodząc po stopniach katedry, potykał się o własne nogi. Jakub niósł Lisicę na rękach, żeby goyle jej nie przepędzili. Byli zakładnikami i stanowili dekorację z ludzi, orszak ukochanego Czarnej Nimfy, którego oddziały stacjonowały zaledwie dzień marszu stąd.

„Co ty zrobiłeś, Jakubie?".

Chronił swojego brata. I Will żył. Miał ciało z nefrytu, lecz żył, i Jakub tylko jednego żałował: że stracił wierzbowe liście, a wraz z nimi nadzieję na to, że będzie mógł siebie i innych chronić przed Czarną Nimfą. Patrzyła na Jakuba, gdy wsiadał do powozu razem z Klarą i Lisicą. Nadal czuł jej gniew. Teraz zrobił sobie wroga również z cesarzowej, a wraz z nią z połowy świata po tej stronie lustra. Wszystko po to, żeby chronić brata.

Zanim ruszyli, obok każdego woźnicy na koźle usiadł goyl. Zepchnęli woźniców, gdy tylko dojechali do mostu wiodącego za miasto. Gwardziści, którzy eskortowali młodą parę, próbowali temu przeszkodzić, lecz Czarna Nimfa wypuściła swoje ćmy i dalej już goyle poprowadzili powozy przez wybudowany jeszcze przez przodka panny młodej most, a stamtąd na jedną z ulic na drugim brzegu rzeki.

Dwanaście powozów, czterdziestu żołnierzy. Nimfa strzegąca ukochanego. Księżniczka, która wzięła ślub pośród martwych ciał. I król, który uwierzył swojemu wrogowi, a on go oszukał. Zemści się za to. Podczas gdy Valiant przeklinał sam siebie, że obecność na cesarskim ślubie uznał za dobry pomysł, Jakub stale sobie powtarzał:

„Jakubie, twój brat żyje. Nic innego się nie liczy".

Po niebie płynęły ciemne chmury, gdy powozy przejechały przez bramę. Za nią wokół rozległego dziedzińca stały liczne zwyczajne domy. Każdy w Wenie znał starą fabrykę amunicji – i jej unikał. Fabryka była opuszczona od czasu, gdy kilka lat wcześniej rzeka wystąpiła z brzegów i zalała budynki wodą i cuchnącym szlamem. Podczas ostatniej epidemii cholery wielu chorych przywożono w to miejsce, by tu umierali. To jednak nie budziło niepokoju goylów. Byli odporni na większość ludzkich chorób.

– Co chcą zrobić? – szepnęła Klara, gdy powozy stanęły wśród ceglanych domów.

– Nie wiem – odpowiedział Jakub.

Valiant wspiął się na ławkę i wyjrzał na opuszczony dziedziniec.

– Coś mi przychodzi do głowy – mruknął.

Will pierwszy wysiadł ze złotej karety. Za nim król i jego żona, podczas gdy goyle wyciągali jeńców z pozostałych powozów. Jeden z nich odepchnął cesarzową, gdy próbowała podejść do córki. Donersmark, dla ochrony, przyciągnął ją do siebie. Czarna Nimfa stanęła pośrodku dziedzińca, uważnie przyglądając się pustym budynkom. Już nigdy nie pozwoli na to, żeby jej ukochany wpadł w pułapkę. Od jej sukni oderwały się cztery ćmy i pofrunęły w stronę domów. Bezgłośni szpiedzy. Skrzydlata śmierć.

Goyle tymczasem patrzyli na swojego króla. Czterdziestu żołnierzy, którzy na terytorium wroga ledwo wywinęli się śmierci. „Co teraz?" – pytały ich twarze. Z trudem ukrywali strach. Kamien gestem przywołał jednego z nich. Miał alabastrową skórę szpiega.

– Sprawdźcie, czy tunel jest bezpieczny. – Głos króla brzmiał spokojnie, a jeżeli się bał, ukrywał to lepiej niż jego zwiadowcy.

– Założę się o złote drzewo, że wiem, dokąd chcą jechać – cicho powiedział Valiant, gdy alabastrowy goyl zniknął wśród budynków. – Przed laty pewien z naszych najgłupszych ministrów kazał wybudować dwa tunele do Weny, bo nie wierzył w przyszłość kolei żelaznej. Jednym z nich miano zaopatrywać fabrykę. Istnieją plotki, że goyle połączyli go ze swą najdalej na zachód wysuniętą twierdzą i że korzystają z niego ich szpiedzy.

Tunel.

„Czyli znowu pod ziemię, Jakubie".

O ile przedtem nie rozstrzelają zakładników.

Goyle spędzili ich razem i Jakub schylił się po Lisicę, żeby nie zgubiła się wśród ogarniętych paniką ludzi, lecz jeden z żołnierzy chwycił go i brutalnie wyciągnął z tłumu. Jaspis i ametyst. Nesser. Jakub pamiętał dobrze, jak kładła mu na piersi skorpiony. Lisica chciała pobiec za nim, lecz gdy Nesser wycelowała w nią pistolet, Klara szybko chwyciła ją na ręce.

– Hentcau jest na wpół martwy! – syknęła w stronę Jakuba, ciągnąc go za sobą. – Dlaczego ty jeszcze żyjesz?

Popychała go przez podwórze. Minęli króla, który razem z Willem stał przy powozach i naradzał się z dwoma ocalałymi z masakry oficerami. Goylom nie zostało wiele czasu. Na pewno w katedrze już odkryto ciała.

Czarna Nimfa stała u podnóża schodów prowadzących w dół do rzeki. Stalowy pomost częściowo zanurzony był w wodzie, na której nieczystości miasta tworzyły brudny kożuch. Nimfa jednak patrzyła na nią, jakby widziała lilie, wśród których się urodziła.

„Ona cię zabije, Jakubie".

– Zostaw nas samych, Nesser – powiedziała.

Dziewczyna zawahała się, w końcu posłała Jakubowi nienawistne spojrzenie i ruszyła w górę po schodach.

Czarna Nimfa przesunęła dłonią po białym ramieniu. Jakub dostrzegł na nim resztki kory.

– Grałeś o wysoką stawkę i przegrałeś – odezwała się.

– Przegrał mój brat – odrzekł Jakub.

Był taki zmęczony. W jaki sposób go zabije? Użyje swoich motyli? Jakiegoś zaklęcia?

Czarna Nimfa spoglądała w górę, na Willa. Nadal stał obok Kamiena. Więź między tymi dwoma była wyczuwalna bardziej niż kiedykolwiek.

– To wszystko, czego oczekiwałam – oznajmiła. – Spójrz na niego. Kamienne ciało. Przeznaczone tylko dla niego jednego. – Pogładziła korę na ręce. – Oddam ci go – powiedziała. – Pod jednym warunkiem. Zabierzesz go daleko, daleko stąd, tak daleko, że nie będę go mogła znaleźć. W przeciwnym razie go zabiję.

Jakub nie mógł uwierzyć w to, co usłyszał. Śnił. Po prostu. Jakiś gorączkowy, niespokojny sen. Prawdopodobnie nadal leżał gdzieś w katedrze, a ćmy wstrzykiwały mu pod skórę jad.

– Dlaczego?

Nawet to jedno słowo z trudem przeszło mu przez usta.

„Pytasz dlaczego, Jakubie? Chcesz wiedzieć, czy to sen? Jeżeli nawet, to jest to dobry sen. Ona oddaje ci brata".

Zresztą Czarna Nimfa nie odpowiedziała.

– Przyprowadź go do budynku obok bramy – nakazała i znowu odwróciła się w stronę rzeki. – Tylko się pospiesz. I strzeż się Kamiena. Utrata cienia go nie ucieszy.

Wszędzie jaspis, onyks, chalcedon. Jakub przeklinał swoją ludzką skórę, ze spuszczoną głową przemierzając dziedziniec. Żaden z ocalałych goylów na pewno nie wiedział, że to jemu zawdzięcza życie. Na szczęście większość pilnowała zakładników lub zajmowała się rannymi. Jakub, przez nikogo niezatrzymywany, szczęśliwie dotarł do powozu.

Kamien nadal stał w otoczeniu oficerów, jednak alabastrowy goyl jeszcze nie wrócił. Księżniczka podeszła do męża i coś do niego mówiła, aż zniecierpliwiony pociągnął ją za sobą. Will odprowadził króla wzrokiem, lecz nie poszedł za nim.

„Teraz, Jakubie".

Gdy tylko wyłonił się spośród powozów, Will sięgnął po szablę.

„Pobawimy się w berka, Will?".

Jego brat zepchnął z drogi dwóch goylów i zaczął biec. Rany najwyraźniej mu nie przeszkadzały.

„Nie za szybko, Jakubie. Pozwól mu się zbliżyć, tak jak to robiłeś, gdy byliście dziećmi".

Z powrotem między powozy. Minąć barak, w którym zamknęli zakładników. Następny budynek to ten obok bramy. Jakub pchnął drzwi. Ciemna sień z zabitymi oknami. Plamy światła na brudnej podłodze przypominały rozlane mleko. W następnym pomieszczeniu nadal stały łóżka dla ofiar cholery. Jakub ukrył się za otwartymi drzwiami. Jak wtedy.

Will gwałtownie się odwrócił, gdy Jakub zamknął za nim drzwi, i przez chwilę miał na twarzy ten sam wyraz zaskoczenia co dawniej, gdy Jakub chował się za drzewem w parku. Nic jednak nie wskazywało na to, że go rozpoznał. Obcy z twarzą jego brata. Mimo to Will złapał złotą kulę. Dłonie zapamiętały.

„Will, łap!".

Kula połknęła go jak żaba muchę i na brukowanym dziedzińcu kamienny król daremnie rozglądał się za swoim cieniem.

Jakub podniósł kulę i usiadł na jednym z łóżek. W jej złotej powierzchni odbijała się jego twarz, zniekształcona jak w lustrze ojca. Nie wiedział, dlaczego pomyślał o Klarze – może z powodu zapachu szpitala, który pozostał w tych murach, odmiennego, a jednak takiego jak w tamtym świecie. Przez chwilę zaczął sobie wyobrażać, jak by to było, gdyby po prostu zapomnieć o kuli. Albo włożyć ją do skrzyni w gospodzie Chanutego.

„Co z tobą, Jakubie? Skowronkowa woda nadal działa? A może się boisz, że gdyby nawet Czarna Nimfa dotrzymała obietnicy, twój brat na zawsze pozostanie obcy, z twarzą wykrzywioną nienawiścią do ciebie?".

Nimfa tak nagle pojawiła się w drzwiach, jakby ściągnął ją myślami.

– No, proszę – odezwała się, patrząc na złotą kulę w dłoni Jakuba. – Znałam dziewczynę, która bawiła się tą kulą, na długo zanim urodziliście się ty i twój brat. Dzięki niej nie tylko złowiła męża, lecz także zamknęła w niej swoją starszą siostrę i przez dziesięć lat jej nie wypuszczała.

Gdy podchodziła do Jakuba, jej suknia szeleściła.

Zawahał się, lecz w końcu podał jej kulę.

– Szkoda – rzekła, podnosząc ją do ust. – Twój brat ze skórą z nefrytu jest o wiele ładniejszy. – Potem chuchnęła na lśniącą powierzchnię, aż złoto pokryło się mgłą, i oddała Jakubowi kulę. – Co? – spytała, gdy spojrzał na nią ze zdziwieniem. – Ufasz nie tej nimfie, co trzeba. – Podeszła do niego tak blisko, że na twarzy poczuł jej oddech.

– Czy moja siostra powiedziała ci, że każdego człowieka, który wymówi moje imię, czeka śmierć? Przyjdzie powoli, jak to bywa z zemstą istoty nieśmiertelnej. Może pozostanie ci rok, ale już wkrótce ją poczujesz. Pokażę ci.

Położyła mu dłoń na piersi i Jakub poczuł kłujący ból nad sercem. Krew przesiąkła mu przez koszulę, a gdy ją rozsunął, zobaczył, że ćma na jego ciele ożyła. Jakub chwycił jej wypukły korpus, lecz ona mocno wbiła mu w skórę pazurki i miał wrażenie, że wraz z nią wyrywa sobie z piersi serce.

– Mówią, że u ludzi miłość przypomina śmierć – odezwała się Czarna Nimfa. – To prawda? – Rozgniotła ćmę na piersi Jakuba i znowu pozostał tam tylko odcisk na skórze. – Wypuść brata, gdy ze złota zniknie nalot – dodała. – Przy bramie czeka powóz dla ciebie i dla tych, którzy są z tobą. Nie zapomnij jednak, co ci powiedziałam. Zabierz go tak daleko ode mnie, jak tylko zdołasz.

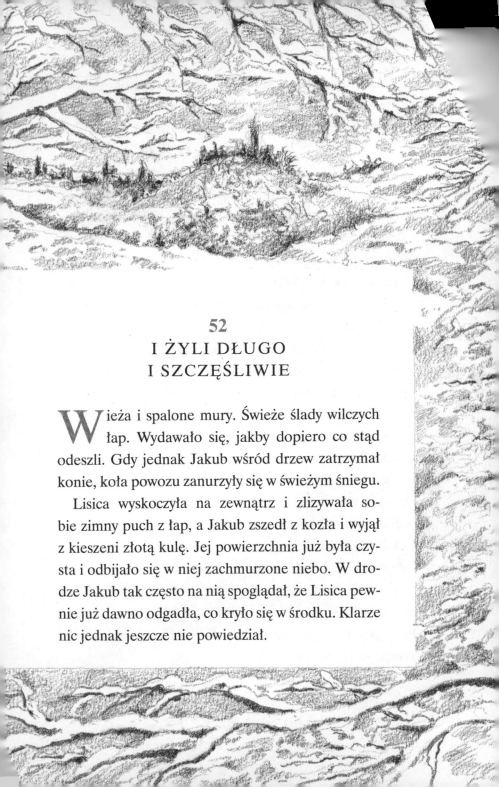

52
I ŻYLI DŁUGO
I SZCZĘŚLIWIE

W ieża i spalone mury. Świeże ślady wilczych
łap. Wydawało się, jakby dopiero co stąd
odeszli. Gdy jednak Jakub wśród drzew zatrzymał
konie, koła powozu zanurzyły się w świeżym śniegu.

Lisica wyskoczyła na zewnątrz i zlizywała sobie zimny puch z łap, a Jakub zszedł z kozła i wyjął
z kieszeni złotą kulę. Jej powierzchnia już była czysta i odbijało się w niej zachmurzone niebo. W drodze Jakub tak często na nią spoglądał, że Lisica pewnie już dawno odgadła, co kryło się w środku. Klarze
nic jednak jeszcze nie powiedział.

Podróż do ruin zabrała im dwa dni. Na ostatnim postoju stajenni poinformowali ich, że goyle zamienili ślub swojego króla w masakrę i porwali cesarzową. Nikt nie wiedział nic więcej.

Lisica tarzała się w śniegu, jakby chciała zetrzeć z siebie przeżycia ostatnich tygodni, Klara zaś spoglądała w górę, na wieżę. Z jej ust wydobywały się obłoczki pary i drżała z zimna w sukni, którą Valiant kupił jej na ślub. Bladobłękitny jedwab był porozrywany i brudny. Spoglądając na jej twarz, Jakub znowu przypomniał sobie o mokrych piórkach, mimo że była w niej wyłącznie tęsknota za jego bratem.

– Ruiny? – Valiant wysiadł z powozu i rozglądał się zdumiony. – Co to ma znaczyć?! – warknął na Jakuba. – Gdzie moje drzewo?

Z cienia wysunął się krasnoludek i szybko zebrał ze śniegu kilka żołędzi.

– Lisico, pokaż mu jabłoń.

Valiant tak szybko ruszył za Lisicą, że omal nie zaplątał się we własne nogi.

Klara nie patrzyła w ich stronę.

Minęło tyle czasu od chwili, gdy Jakub po raz pierwszy zobaczył ją, jak stała między kolumnami.

– Chcesz, żebym tam wróciła, prawda? – Spojrzała na niego tak, jak tylko ona potrafiła. – Możesz to spokojnie powiedzieć: już nie zobaczę Willa. Nie zmienisz tego. Wiem, że zrobiłeś wszystko.

Jakub ujął jej dłoń i włożył do niej kulę. Jej powierzchnia była idealnie gładka, a złoto błyszczało, jakby kulę utoczyło samo słońce.

„Ufasz nie tej nimfie, co trzeba".

– Musisz ją potrzeć – powiedział. – Aż zobaczysz w niej swoje odbicie tak wyraźne jak w lustrze.

Po tych słowach zostawił ją samą i wszedł między ruiny. Will chciałby najpierw zobaczyć twarz Klary.

„I żyli długo i szczęśliwie, aż do śmierci".

O ile Czarna Nimfa nie oszukała go tak jak jej siostra.

Jakub odsunął bluszcz zasłaniający wejście do wieży i spojrzał na mury. Myślał o tym, jak pierwszy raz zszedł po linie znalezionej w pokoju ojca. Bo gdzieżby indziej?

Miejsce nad sercem nadal bolało, a odcisk ćmy czuł pod koszulą jak wypalony znak.

„Zapłaciłeś pewną cenę, Jakubie. Co jednak za to dostałeś?".

Dobiegł go cichy okrzyk Klary.

Jakiś głos wypowiedział jej imię.

Głos Willa już dawno nie brzmiał tak miękko.

Jakub usłyszał ich szept. Potem śmiech.

Oparł się plecami o mur, czarny od sadzy, wilgotny od chłodu unoszącego się wśród kamieni.

Skończyło się. Ta nimfa dotrzymała słowa. Jakub wiedział to, zanim jeszcze rozsunął bluszcz. Zanim zobaczył Willa obok Klary. Kamień zniknął i brat znowu miał niebieskie oczy. Czysto niebieskie.

„Idź już, Jakubie".

Will puścił dłonie Klary i zdumiony spojrzał na Jakuba, gdy ten wyszedł spomiędzy ośnieżonych murów. Na twarzy brata nie było śladu gniewu. Ani nienawiści. Obcy o skórze z nefrytu zniknął. Mimo że Will nadal miał na sobie szary mundur.

Podszedł do Jakuba, wpatrując się w jego pierś, jakby nadal widział jedynie krew po strzale goyla. Objął go tak mocno, jak robił to tylko w dzieciństwie.

– Myślałem, że nie żyjesz. Wiedziałem, że to nie może być prawda!

Will.

Cofnął się, ponownie przyglądając się Jakubowi, jakby musiał się przekonać, że naprawdę nic mu nie jest.

– Jak to zrobiłeś? – Podciągnął szary rękaw munduru i pogładził się dłonią po miękkiej skórze. – To zniknęło! – Odwrócił się do Klary. – Mówiłem ci. Jakub sobie poradzi. Nie wiem, jakim sposobem, ale zawsze tak było.

– Wiem. – Klara się uśmiechnęła, a w jej spojrzeniu było wszystko, co się wydarzyło.

Will przesunął dłonią po ręce w miejscu, gdzie szabla rozcięła szary materiał. Czy wiedział, że plamy na rękawie są z jego krwi? Nie. Bo i skąd? Była jasna jak krew goylów.

Znowu miał brata.

– Opowiedzcie mi wszystko. – Will wziął Klarę za rękę.

– To długa historia – odrzekł Jakub.

Nigdy jej Willowi nie opowie.

„Był sobie kiedyś chłopiec, który wyruszył z domu, żeby poznać, czym jest strach".

Przez chwilę Jakubowi wydało się, że w oczach brata dostrzega ślad złota, lecz pewnie to tylko poranne słońce odbiło się w jego źrenicach.

„Zabierz go stąd, jak najdalej".

– Spójrzcie tylko na to! Jestem bogaty jak cesarzowa! Co ja mówię! Bogatszy niż król Albionu!

Pozłacane włosy. Pozłacane barki. Nawet Jakub nie poznał Valianta, gdy ten wyłonił się spomiędzy ruin. Złoto przykleiło się do niego jak cuchnące płatki kwiatów, którymi drzewo obsypało Jakuba.

Karzeł minął Willa obojętnie, zupełnie go nie dostrzegając.

– Dobra, powiem to! – zawołał do Jakuba. – Byłem pewien, że mnie oszukasz. Za taką zapłatę od razu mogę cię jeszcze raz zabrać do twierdzy goylów! Jak myślisz? Czy zaszkodzi drzewu, jeżeli je wykopię?

Za karłem przyszła Lisica. W jej futrze też tkwiło kilka płatków złota. Ona jednak stanęła jak wryta, ujrzawszy Willa.

„Co powiesz, Lisico? Nadal pachnie jak oni?".

Will wydobył ze śniegu małą bryłkę złota, którą karzeł wygarnął sobie z włosów.

Valiant jeszcze go nie zauważył. Nie dostrzegał niczego.

– Nie. Nie, wykopię je! – wypalił. – Czy ja wiem? Może strząśniecie z jego gałęzi całe złoto, gdy je tu zostawię! Nie!

Prawie wpadł na Lisicę, pędząc z powrotem. Will stał, strzepując z dłoni maleńką bryłkę.

„Zabierz go daleko, daleko stąd, żebym nie mogła go znaleźć".

Klara spojrzała niespokojnie na Jakuba.

– Chodź, Will – szepnęła. – Pójdziemy do domu.

Chciała go wziąć za rękę, lecz Will potarł ramię, jakby poczuł pod skórą narastający od nowa nefryt.

„Zabierz go stąd, Jakubie".

– Klara ma rację, Will – powiedział Jakub. – Chodź.

I Will poszedł z nim, oglądając się za siebie, jakby coś zgubił.

Lisica odprowadziła ich do wieży, lecz przed wejściem się zatrzymała.

– Zaraz wrócę! – zawołał Jakub, a Klara na pożegnanie pogłaskała ją delikatnie po grzbiecie. – Przypilnuj, żeby karzeł zebrał złoto, zanim przylecą kruki – poprosił Lisicę Jakub.

Zaczarowane złoto przyciągało całe stada kruków, a ich krakanie mogło pozbawić rozumu. Lisica skinęła łbem, ale długo się nie odwracała. Jej niepokój miał związek nie z Willem, lecz z Klarą. Nie zapomniała o skowronkowej wodzie. Kiedy on o niej zapomni?

„Gdy już odejdą, Jakubie".

Jakub wspiął się pierwszy po sznurowej drabince. W pomieszczeniu na wieży, wśród łupinek żołędzi, leżał martwy krasnoludek. Prawdopodobnie zabił go złośliwy skrzat. Jakub przykrył drobne ciałko liśćmi, zanim pomógł Klarze wejść.

W lustrze znalazło się odbicie całej ich trójki. Will podszedł do niego i przyglądał się sobie jak komuś obcemu. Klara stanęła obok i wzięła go za rękę. Jakub się cofnął, aż jego odbicie zniknęło z ciemnej tafli lustra. Will spojrzał na niego pytająco.

– Nie idziesz z nami?

Nie wszystko odeszło w niepamięć. Jakub widział to na twarzy Willa. Znowu jednak miał brata. Może bardziej niż kiedykolwiek.

– Nie – odparł. – Nie mogę zostawić Lisicy samej.

Will popatrzył na niego. Co zobaczył? Ciemny korytarz? Szablę w swojej dłoni...

– Wiesz, kiedy wrócisz?

Jakub się uśmiechnął.

„Idź już, Will".

„Tak daleko, żebym go nie mogła znaleźć".

Will jednak zostawił Klarę i podszedł do Jakuba.

– Dziękuję, bracie – szepnął i mocno go objął. Potem się odwrócił, ale znów się zatrzymał. – Czy kiedyś go spotkałeś? – spytał.

Jakub przypomniał sobie, jak złote oczy Hentcaua dostrzegły w jego twarzy rysy ojca.

– Nie – odpowiedział. – Nigdy.

Will skinął głową, Klara wzięła go za rękę, lecz spojrzała na Jakuba, gdy Will przyłożył dłoń do lustra.

Potem oboje zniknęli, a Jakub stał i w nierównym szkle lustra widział już tylko siebie. I jeszcze mgliste wspomnienie o kimś.

Lisica czekała tam, gdzie ją zostawił.

– Jaką cenę zapłaciłeś? – spytała, idąc za nim do powozu.

– Cenę za co?

Jakub wyprzągł konie. Przekaże je Chanutemu w zamian za jucznego konia, którego stracił. Mógł tylko mieć nadzieję, że goyle dobrze będą traktowali jego klacz.

– Jaka była cena za twojego brata?

Lisica zmieniła postać. Znowu miała na sobie swoją sukienkę. Znacznie bardziej do niej pasowała niż stroje, które nosiła w mieście.

– Daj spokój. Już zapłaciłem.

– Jak?

Po prostu zbyt dobrze go znała.

– Przecież mówię. Zapłaciłem. Co ten karzeł robi?

Lisica spojrzała ku stajniom.

– Zbiera swoje złoto. To mu zajmie wiele dni. Naprawdę miałam nadzieję, że drzewo obsypie go cuchnącym pyłkiem. – Spojrzała w niebo. Znowu zaczął padać śnieg. – Powinniśmy ruszyć na południe.

– Może.

348

Jakub wsunął dłoń pod koszulę i dotknął śladu ćmy.

„Może pozostał ci tylko rok".

Co z tego? Rok to dużo czasu, a w tym świecie istniało lekarstwo na wszystko. Musiał je tylko znaleźć.

SPIS TREŚCI